Soda

Méthode de français

1

Bruno Mègre
Lucile Chapiro
Dorothée Dupleix
Mélanie Monier
Nelly Mous

CLE
INTERNATIONAL

www.cle-inter.com

Direction de la production éditoriale : Béatrice Rego
Édition: Virginie Poitrasson
Marketing : Thierry Lucas
Création de maquette : Miz'en pages
Mise en pages : Vincent Rossi
Iconographes : Clémence Zagorski, Danièle Portaz
Illustrations : Lucia Miranda

Avant-propos

SODA est une méthode spécialement conçue pour les grands adolescents. Nous avons souhaité leur proposer un manuel témoin de leur temps qui soit aussi une vitrine des jeunes Français aujourd'hui. Les unités de **SODA** s'articulent donc autour de thématiques très actuelles, tout à fait intégrées au quotidien des grands adolescents, et qui sont représentatives des centres d'intérêt d'une majorité de jeunes en France.

Les activités et les tâches proposées dans **SODA** ont ainsi été conçues pour contribuer à la motivation des jeunes pour apprendre le français. Toutefois, au-delà des aspects contemporains de cette méthode, les raisons de vouloir maîtriser le français sont, bien sûr, nombreuses : le désir de parler français, l'envie de voyager, d'étudier ou de travailler en France en constituent quelques exemples. Nous croyons qu'il est important de s'adresser à tous les jeunes apprenants de français, quels que soient leur cadre d'apprentissage et leurs raisons réelles de maîtriser cette langue.

Sur le plan méthodologique, **SODA** est organisé autour des composantes linguistiques, sociolinguistiques et pragmatiques définies par le *Cadre européen commun de référence pour les langues*.

Les unités s'ouvrent sur les pages de compréhension orale et écrite ; les différents éléments introduits sont ensuite renforcés dans les pages consacrées au lexique, à la phonétique et à la grammaire, puis réemployés, sous forme de tâches. S'ajoutent, enfin, les activités langagières de production orale et écrite qui soutiennent la démarche de progression et le renforcement des compétences et des connaissances. Des pages de civilisation, en lien avec la thématique générale, sont incluses dans chaque unité, sans oublier la préparation aux épreuves du DELF et les pages de tests (vocabulaire et grammaire).

Le livre de l'élève est accompagné d'un cahier d'activités particulièrement riche, permettant de fixer les acquis de l'apprenant et proposant également un entraînement au DELF et un portfolio. De plus, deux niveaux de difficulté sont systématiquement proposés dans les exercices.

Enfin, ressource complémentaire à l'intention des enseignants, le guide pédagogique contient, outre les développements correspondant à chacune des unités du livre et du cahier, un fichier d'évaluations complémentaires, parallèles aux entraînements DELF et aux pages test du livre, et organisées, elles aussi, en deux niveaux de difficulté.

Vous constaterez, enfin, que l'ère du numérique a une place importante dans **SODA**, que ce soit dans les thématiques ou dans les supports. Nous proposons ainsi aux élèves des thèmes liés aux technologies et à leurs moyens actuels de communiquer, et les invitons à interagir en français comme ils le font dans leur langue maternelle ou usuelle.

Le site Internet compagnon, la version numérique pour tableau blanc interactif et les autres moyens mis à disposition des apprenants et des enseignants (vidéo, CD audio) constituent un univers commun et familier qui offre à **SODA** une dimension qui va bien au-delà de l'ouvrage. L'apprenant est en permanence sollicité pour utiliser tous les moyens qui sont mis à sa disposition, dans son quotidien, pour s'intéresser à l'objet de son apprentissage et améliorer, de ce fait, sa performance en français.

Nous vous souhaitons, à vous et à vos élèves, de très bons moments avec **SODA**.

Les auteurs

Table**a**u des contenus

Thème - lexique	Objectifs de communication	Grammaire - Conjugaison
Unité 0 : Contact		
L'alphabet Les nombres Les nationalités	Saluer Se présenter Prendre congé Compter Épeler	Les pronoms sujets *je, tu, vous* Le présent de l'indicatif Les verbes pronominaux (*je m'appelle, ça s'épèle…*) La négation (*ne…pas*) Le féminin des adjectifs de nationalité La forme interrogative
Unité 1 : Vis ta vie !		
L'apparence physique La personnalité Les intérêts	Décrire une personne Parler de sa personnalité et de son apparence physique Décrire ses intérêts Demander des informations sur une personne	Les pronoms sujets Les pronoms toniques Le genre des adjectifs Le pluriel des noms et des adjectifs Les articles définis et indéfinis Les articles contractés Les adjectifs possessifs
Unité 2 : Mon coin du monde		
La ville Les commerces Les activités en ville Les pièces dans une maison Les moyens de transport	Décrire un lieu Dire quels types de commerces il y a Décrire ses lieux préférés : ce qu'on fait, où on sort avec ses amis	Le présent de pouvoir Le passé composé avec l'auxiliaire *avoir* Les adjectifs démonstratifs Les prépositions de lieu (1)
Unité 3 : Alors on sort ?		
Les appels téléphoniques, les invitations Invitations par SMS et sur des réseaux sociaux Localisation et orientation Les sorties	Inviter quelqu'un à faire quelque chose Accepter ou refuser une invitation Donner des instructions	L'interrogation (révision) La négation (*ne…plus, ne…jamais*) L'impératif Le passé composé avec l'auxiliaire *être* Les prépositions de lieu (2)
Unité 4 : Génération Conso'		
Les vêtements Les gadgets La mode L'achat en ligne	Exprimer un vœu, un souhait Exprimer les comparaisons (avantages, désavantages) Parler du shopping et de la mode Faire des achats dans un magasin	Le conditionnel présent Le futur proche Le verbe *plaire* Les pronoms démonstratifs Le comparatif Les quantificateurs L'imparfait de description
Unité 5 : En forme ?		
Les sports La santé Les aliments Les activités quotidiennes	Décrire ses intérêts Donner et recevoir des conseils Exprimer son opinion Expliquer comment rester en forme Décrire ses habitudes	L'impératif négatif Les pronoms compléments Les articles partitifs La formation des adverbes en -ment Le pronom *en* Le passé récent
Unité 6 : Globe-trotters		
Les types de vacances Les pays Les zones géographiques Les informations touristiques en ligne	Parler de ses projets pour l'été Faire des réservations Acheter des billets Se renseigner sur une région, un hôtel, des horaires	Le futur simple Le pronom *y* Les pronoms relatifs : *qui, que, où* Le superlatif

Culture - Civilisation	Phonétique
Unité 0 : Contact	
Célébrités françaises **La France et quelques pays francophones**	[r] [u] [y] [wa] L'enchaînement dans la conjugaison pronominale L'intonation
Unité 1 : Vis ta vie!	
Les jeunes Français et Internet	[s] / [z] Les voyelles nasales [e] / [ə] (*les/le*) La liaison
Unité 2 : Mon coin du monde	
Votre séjour linguistique **dans une métropole francophone** Paris, Montréal, Bruxelles	[e] / [ɛ] / [ə] [ɔ]
Unité 3 : Alors on sort ?	
Venez faire la fête en Europe Carnavals et festivals de musique	L'intonation et l'enchaînement de l'interrogation |ə] / [e] [z] / [s] [y] / [u] [j] / [ʒ]
Unité 4 : Génération Conso'	
Campagnes de pub Le documentaire Logorama	Les nasales [ɑ̃] / [ɔ̃] Les enchaînements verbe + verbe La prononciation de « plus » : [ply] / [plys] / [plyz]
Unité 5 : En forme ?	
Les sportifs préférés des Français	[v] / [f] / [b] Le « e » muet Les lettres que l'on écrit mais que l'on ne prononce pas
Unité 6 : Globe-trotters	
Les grands aventuriers français	|ə] / [œ] [ø] / [œ] [r] [f] = f, ff, ph

M*o*de d'emploi

Pour vous repérer dans le livre

 Compréhension orale

 Expression orale

 Piste du cd audio

 Compréhension écrite

 Expression écrite

 Interaction orale par paire

 Interaction orale par groupe

Pour comprendre et apprendre

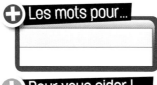 Mots et expressions utiles

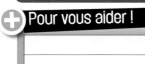 Guide de communication

 Ce point est développé dans les annexes à la page indiquée.

 Une séquence vidéo est disponible sur la version numérique et sur le DVD-ROM du livre de l'élève

Le disque dans le livre de l'élève est un DVD-ROM qui contient des ressources audio et vidéo. Vous pouvez l'utiliser :

Sur votre ordinateur (PC ou Mac)
• Pour visualiser la vidéo
• Pour écouter l'audio
• Pour extraire l'audio et le charger sur votre lecteur mp3
  ou pour en graver un CD mp3 ou un CD audio <u>à votre usage strictement personnel</u>

Sur votre lecteur DVD de salon ou portable, compatible DVD-ROM
• Pour visualiser la vidéo
• Pour écouter l'audio (les pistes apparaissent à l'écran)

Contact

Saluer

Se présenter

Prendre congé

Compter

Épeler

1 Retrouvez les symboles (la capitale, l'animal et le drapeau) des 5 pays ou régions francophones où l'on parle le français :

1. la France / 2. la Belgique / 3. le Luxembourg / 4. la Suisse / 5. le Québec

- La capitale :

1. ... / 2. ... / 3. Luxembourg / 4. .... / 5. ...

- L'animal :

a

b

c

d

e

- Le drapeau :

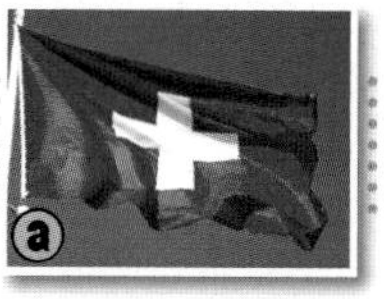
a

b

c

d

e

2 Quel est le symbole de votre pays ?

3 Qui sont ces personnes ? Reconnaissez-vous ces personnes ? Quelle est leur profession ?

1

2

3

4

5

6

a Édith Piaf
b M
c Charlotte Gainsbourg
d Thierry Henry
e Diam's
f Yannick Noah

Lisez les biographies des personnes célèbres suivantes et complétez leur carte d'identité.

- Jo-Wilfried Tsonga est un joueur de tennis français, professionnel depuis 2004. Il est né le 17 avril 1985 au Mans, en France. Il est actuellement 6ème joueur mondial.

- Marion Cotillard est une actrice française, née le 30 septembre 1975 à Paris.

CARTE D'IDENTITÉ

NOM : …
Prénom : …
Date de naissance : …
Lieu de naissance : …
Nationalité : …
Profession : *actrice*

CARTE D'IDENTITÉ

NOM : …
Prénom : …
Date de naissance : …
Lieu de naissance : *Le Mans (France)*
Nationalité : …
Profession : …

 **Reconnaissez-vous ces logos français ?**

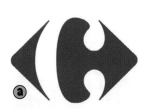

A FOND LA FORME®

Ex. : Décathlon, c'est un logo de magasin de sport.

a

b

c

d

e

f

Bonjour à tous !

 Complétez les bandes dessinées avec les expressions suivantes. Attention, il y a plusieurs possibilités !

À la semaine prochaine	Bonjour	Salut	À tout à l'heure	À plus	Au revoir	À tout de suite	À bientôt	Enchanté

⊕ Les mots pour...

pour saluer et dire au revoir

- Bonjour ! Salut ! Coucou !
- Bonjour, Monsieur / Messieurs !
- Bonjour, Mademoiselle / Mesdemoiselles / Madame / Mesdames !
- Comment vas-tu ?
- Super ! / Ça va très bien, merci.
- Bonsoir !
- Faire la bise.

- Se serrer la main.
- À tout de suite ! À tout à l'heure !
- Salut ! À bientôt !
- À plus !
- À jeudi ! À la semaine prochaine !
- Au revoir, Monsieur / Madame.
- Bonne soirée !
- Bonne nuit !

⊕ Tu ou vous ?

Tu = on parle à un ami, à un membre de sa famille **Vous** = on parle à un adulte qu'on ne connaît pas ou qu'on respecte : c'est le « vous » de politesse.

 Pour parler à ces personnes, vous utilisez le tutoiement (« tu ») ou le vouvoiement (« vous ») ? Deux réponses sont possibles.

	Votre ami	L'ami de votre ami	La caissière du supermarché	Votre professeur	Votre grand-père	Votre voisin	Votre moniteur de ski
Tutoiement							
Vouvoiement							

1 Observez.

Bonjour, je suis Léa CAPPELLANO.
Mon prénom est Léa et mon nom
de famille CAPPELLANO.
Ça s'écrit, C., A., deux P., E, deux L., A.,
N., O.

COMMENT VOUS APPELEZ-VOUS ?

JE M'APPELLE NICOLAS.

➕ Les mots pour...

se présenter

- Comment vous appelez-vous ? Je m'appelle Nicolas.
- Quel est votre nom de famille ? Mon nom est Gomez.
- Quel est votre prénom ? Nicolas.
- Comment s'écrit votre nom ? G.O.M.E.Z

2 Écoutez et complétez les 3 documents :

CARTE D'IDENTITÉ

Nom : ...
Prénom : ...
Sexe : M
Né(e)le : 02/06/1995
À : Montpellier
Taille : 1,67 m

①

FICHE DE RENSEIGNEMENTS

Nom : ...
Prénom : ...
Date de naissance : 14/02/1996
Adresse : 5, rue des Mouettes
37000 Tours
Téléphone : 06 66 87 89 99

②

Lycée Jules-Ferry
Année scolaire 2012-2013

Nom : ...
Prénom : ...
Classe : Terminale A

③

3 ⓐ Écoutez et dites si la personne que vous entendez pose ou non une question.

	Est-ce une question ?	
1.	Oui	Non
2.	Oui	Non
3.	Oui	Non
4.	Oui	Non

ⓑ **Vous posez des questions à votre voisin(e). Attention ! Il/Elle doit répondre
seulement par oui ou par non. Essayez de connaître :**

- sa date de naissance
- son groupe de musique préféré
- son acteur ou son actrice préféré(e)
- sa matière préférée

➕ La forme interrogative (1)

Quand on attend une réponse par *oui* ou par *non*,
on peut utiliser :

L'intonation	▶ Tu habites à Montréal ?
L'inversion sujet/verbe	▶ Habites-tu à Montréal ?

Qui c'est ?

NOM : MESNILLE
Prénoms : Coralie et Justine
Quel âge avez-vous ?
Nous avons 17 ans.
Quelle est votre date de naissance ?
Nous sommes nées le 23 août.

Vous	**NOM** : ...
	Prénom : ...
	Quel âge avez-vous ? ...
	Quelle est votre date de naissance ? ...

1. Répondez aux questions et gagnez de nombreux cadeaux !

➕ Les mots pour...

demander l'âge et répondre

• Quel âge avez-vous ?	• J'ai ... ans.
• Quel âge as-tu ?	• Tu as ... ans.
• Vous avez quel âge ?	• Il/elle/on a ... ans.
• Tu as quel âge ?	• Nous avons ... ans.
	• Vous avez ... ans.
	• Ils/elles ont ... ans.

➕ Les mots pour...

demander et donner la date de naissance

• Quelle est ta date de naissance ? - Ma date de naissance est le 5 février 1999.
• Quand est-ce que tu es né(e) ? / Tu es né(e) quand ? - Je suis né(e) le 5 février 1999.

2. Gagnez des cadeaux par téléphone ! Écoutez les messages des participants et complétez le tableau.

	1. Jean	2. Anaïs	3. Abel
Âge			
Date de naissance			

3. Vous êtes sélectionné(e) pour gagner un super cadeau !
Écoutez une fois les nombres, les âges
et les dates de naissance et complétez la fiche.
Si vous avez 100 % de bonnes réponses,
vous gagnez un cadeau !

➕ Les nombres

0	Zéro	12	Douze	40	Quarante
1	Un	13	Treize	50	Cinquante
2	Deux	14	Quatorze	60	Soixante
3	Trois	15	Quinze	61	Soixante et un
4	Quatre	16	Seize	70	Soixante-dix
5	Cinq	17	Dix-sept	71	Soixante et onze
6	Six	18	Dix-huit	80	Quatre-vingts
7	Sept	19	Dix-neuf	81	Quatre-vingt-un
8	Huit	20	Vingt	90	Quatre-vingt-dix
9	Neuf	21	Vingt et un	91	Quatre-vingt-onze
10	Dix	22	Vingt-deux	99	Quatre-vingt-dix-neuf
11	Onze	30	Trente	100	Cent

a.	...	f.	Leïla a ... ans.
b.	...	g.	Carole et Albert ont ... ans.
c.	...	h.	La grand-mère de Lucas a ... ans.
d.	...	i.	Date de naissance de Lili : ...
e..	...	j.	Date de naissance de Garance : ...

Pourcentage de bonnes réponses : 100 % = 1 cadeau !
.... %

4. Vous organisez une fête d'anniversaire pour votre meilleur(e) ami(e). Vous lui posez des questions sur :

ⓐ les personnes qu'il/elle veut inviter
ⓑ l'heure d'arrivée des invités
ⓒ le lieu de la fête
ⓓ le style de musique
ⓔ les activités pendant la fête

➕ La forme interrogative (2)

Quand on attend une réponse plus complète : *où, comment, combien, quel (quels, quelle, quelles),* ...
+ inversion possible sujet/verbe
Ex. : Quelle heure est-il ? Quel âge as-tu ? Où es-tu né ?
Comment tu vas ?

Êtes-vous français ?

1 Dites quelles sont les nationalités correspondantes.

- **a** Stefano vient d'Italie. Il est ...
- **b** Narjès vient de Tunisie. Elle est ...
- **c** Marie vient de France. Elle est ...
- **d** Klaus vient d'Allemagne. Il est ...
- **e** Tatiana vient de Russie. Elle est ....
- **f** Dorothée vient de Belgique. Elle est ...

➕ Les adjectifs de nationalité

français ➔ française
italien ➔ Italienne
belge ➔ belge

**Attention, certaines nationalités
ont une forme irrégulière au féminin !**

2 Répondez aux questions suivantes.

- **a** Et vos parents ? De quels pays viennent-ils ?
  Votre mère : ...
  Votre père : ...
- **b** Et vos grands-parents ?
  Votre grand-mère : ...
  Votre grand-père : ...
- **c** Et vous, d'où venez-vous ?

3 Écoutez et complétez le dialogue.

- ▶ **Jeune fille** : Bonjour Madame.
- ▶ **Femme** : Bonjour.
- ▶ **JF** : J'ai un problème avec mon dossier d'inscription au lycée.
  Il y a une erreur concernant ma nationalité et celle de mes parents.
- ▶ **F** : Alors quel est ce problème ?
- ▶ **JF** : Je ne suis pas ..., je suis ....
- ▶ **F** : Vous êtes .... D'accord. J'ai fait une erreur, je vais corriger
  votre dossier. Vos parents sont aussi ... ?
- ▶ **F** : Ma mère n'est pas .... Elle est .... Mais mon père est ....
- ▶ **F** : D'accord, je vais corriger le dossier de votre famille tout de suite.

➕ La négation

Ex. : Je sors avec mes amis. ➔ Je **ne** sors **pas** avec mes amis.
Attention : - Est-ce que tu as des amis ?
              - Non, je **n'**ai **pas** d'amis.

4 Répondez aux questions suivantes à la forme négative.

- **a** Est-ce que vous aimez le sport ?
- **b** Est-ce que vous partez en vacances cet été ?
- **c** Est-ce que vous avez des cours aujourd'hui ?
- **d** Est-ce que vous êtes d'accord ?

Vous h**a**bitez où ?

**Bibliothèque municipale
Formulaire d'inscription**

NOM : GAUTHIER
Prénom : Amélie
Adresse : 35, avenue du Général-de-Gaulle
Code postal : 76100
Ville : Rouen

➕ Les mots pour...

demander où habite quelqu'un	dire où l'on habite
• Où habites-tu ? / Où habitez-vous ? • Dans quelle ville habites-tu ? Dans quelle ville habitez-vous ? • Quelle est ton / votre adresse ? • Quel est ton / votre code postal ?	• J'habite en France. • J'habite à Rouen. • J'habite 35, avenue du Général-de-Gaulle à Rouen. • Mon code postal est le 76100.

 Remplissez le formulaire suivant avec vos informations personnelles :

**Bibliothèque municipale
Formulaire d'inscription**

NOM : ...
Prénom : ...
Adresse : ...
Code postal : ...
Ville : ...

> QUEL EST LE NUMÉRO DE TÉLÉPHONE DE LUCIE ?

> C'EST LE 06 54 72 08 44.

➕ Les mots pour...

demander un numéro de téléphone	donner son numéro de téléphone
• Quel est ton / votre numéro de téléphone ?	• C'est le ... • Mon numéro de téléphone est le ...

 Notez les numéros de téléphone que vous entendez.

① ...   ② ...   ③ ...

➕ Les verbes

Infinitif en -er		Infinitif en -ir		Verbes irréguliers	
Manger		**Finir**		**Faire**	
Je mange	Nous mangeons	Je finis	Nous finissons	Je fais	Nous faisons
Tu manges	Vous mangez	Tu finis	Vous finissez	Tu fais	Vous faites
Il/elle/on mange	Ils/elles mangent	Il/elle/on finit	Ils/elles finissent	Il/elle/on fait	Ils/elles font

 Conjuguez les verbes suivants à toutes les personnes.

Habiter	Faire	Écrire	Épeler	Parler	Être	Adorer

Écoutez bien !

1 **Écoutez et dites quel son vous entendez : U [y], OU [u], OI [wa].**

	U [y]	OU [u]	OI [wa]
1.			
2.			
3.			
4.			
5.			
6.			
7.			
8.			
9.			
10.			
11.			
12.			

2 **Le son « r » [r]. Écoutez et répétez les phrases suivantes :**

1. Bonjour Romain. Je m'appelle Roza. Je suis russe.

2. Au revoir Ryan ! Je t'appelle mardi !

3. Elle s'appelle Marion Cotillard. C'est une actrice française.

4. - Bonsoir Raphaël. Ça va ?

    - Ça va très bien, merci. Tu m'appelles tard, il est 23 h.

5. - Bonjour, moi c'est Éric.

    - Enchanté Éric. On se sert la main ?

3 **Écoutez les phrases et dites si vous entendez une liaison entre le pronom sujet et le verbe.**

	Liaison	Pas de liaison
1.		
2.		
3.		
4.		
5.		
6.		

4 **Écoutez et dites si l'intonation descend ou monte à la fin de la phrase. Puis, écoutez à nouveau et répétez les questions.**

	↗ ?	→ ?	↘ ?
1.			
2.			
3.			
4.			
5.			
6.			

Vis ta vie !

Décrire une personne

Parler de sa personnalité

et de son apparence physique

Décrire ses intérêts

Demander des informations sur une personne

Compréhension

 À l'oral

Parents : amis ou ennemis ?

Chroniqueur radio : Chers auditeurs, bonjour ! Aujourd'hui, dans notre émission *les jeunes ont la parole*, nous parlons des relations des jeunes avec leurs parents.

Adèle : Bonjour ! Tout d'abord, j'adore votre radio !

Chroniqueur radio : Merci Adèle. Tu as quel âge, tu habites où et comment tu t'entends avec tes parents ?

Adèle : J'ai 15 ans, j'habite à Bordeaux et je suis en seconde au lycée. Je m'entends très bien avec ma mère. Elle est géniale, je peux lui raconter plein de choses et elle me donne des conseils. Mon père aussi, il est sympa, mais un peu ennuyeux. Je préfère parler avec ma mère. Je les adore tous les deux mais parfois ils sont trop sévères avec moi !

Chroniqueur radio : Merci Adèle pour ton témoignage.

Chroniqueur radio : Allô, bonjour Maxime. Et toi, tu as quel âge et tu nous appelles d'où ?

Maxime : Bonjour à tous, j'ai 16 ans et j'habite à Lille. Moi aussi, je suis en seconde.

Chroniqueur radio : Et avec ta famille, tu es comment ?

Maxime : Je ne partage pas beaucoup de choses avec mes parents. Ils sont assez stricts. Je préfère passer du temps avec mes amis. J'ai un frère de 18 ans. Il est drôle et toujours joyeux. Je m'entends bien avec lui.

Chroniqueur radio : Merci Maxime, au revoir. Et vous, chers auditeurs, vous êtes plutôt « amis » ou « ennemis » avec vos parents ?

---

1 Écoutez Adèle et Maxime parler de leur famille. Quel est le thème de l'émission ?

2 Répondez aux questions dans votre cahier.

ⓐ Quel âge a Adèle ?
- 15 ans
- 16 ans
- 17 ans

ⓑ Comment est la mère d'Adèle ?
- Géniale
- Ennuyeuse
- Sympa

ⓒ Comment sont les parents de Maxime ?
- Sévères
- Drôles
- Stricts

ⓓ Avec qui s'entend bien Maxime ?
- Son père
- Son frère
- Sa mère

3 Recopiez le tableau dans votre cahier, notez les caractères et dites s'il est positif ☺ ou négatif ☹. Aidez-vous de la boîte à outils !

Caractère	☺	☹
Géniale	x	

+ Les mots pour...

	décrire le caractère d'une personne	
	☺	☹
• Je m'entends (très) bien avec quelqu'un	• Joyeux(se) • Drôle • Sympa • Génial(e)	• Ennuyeux(se) • Strict(e) • Sévère

 **À l'écrit**

Comment pouvez-vous décrire
votre meilleur(e) ami(e) ?

Ma meilleure amie, c'est **Emma**. Elle est toujours joyeuse. Elle est petite, brune et elle a les yeux verts. Elle est super belle ! On fait nos devoirs ensemble, on va au cinéma, on fait du shopping et on écoute la même musique !

Il a les cheveux blonds et courts, il a les yeux bleus. Il veut être grand et musclé mais il est petit et un peu gros. Mais moi je l'aime bien comme ça, en plus il chante super bien. On s'entend très bien et on se comprend toujours. C'est mon meilleur ami, il s'appelle **Mathis**.

Il a des yeux foncés, des cheveux bruns, longs et des lunettes. Il est de taille moyenne, il n'est pas très sportif mais il joue super bien de la guitare ! C'est mon meilleur ami, il s'appelle **Lucas** et on rigole bien ensemble !

Ma meilleure amie vient de la Guadeloupe, elle a les cheveux frisés. Ses yeux sont marron. Elle est grande et mince. On aime toutes les deux la danse et le théâtre. On sort toujours ensemble et on se dit tout ! Ma meilleure amie, c'est **Lola** et elle est géniale !

+ Les mots pour...

décrire le physique d'une personne	parler de ses centres d'intérêts
• Être brun(e), blond(e), châtain	• Aller au cinéma, faire du shopping, faire du sport
• Avoir les cheveux longs ≠ courts , frisés	• Écouter de la musique, jouer de la guitare, chanter, danser
• Être grand(e) ≠ petit(e), de taille moyenne, musclé(e), gros/grosse ≠ mince	• Aimer la danse, le théâtre
• Avoir les yeux verts, bleus, marron, foncés	• Être sportif(ve)

1 C'est qui ? Associez un prénom à une photo.

a Emma   **b** Mathis   **c** Lucas   **d** Lola

2 Répondez aux questions dans votre cahier.

a Emma a les yeux de quelle couleur ?

b Mathis est...
- petit.
- grand.
- de taille moyenne.

c Lucas...
- a les cheveux courts.
- a les cheveux longs.
- a les cheveux frisés.

d Lola est...
- grosse.
- petite.
- mince.

3 Quelles activités font-ils ? Associez les noms aux activités dans votre cahier.

Emma ○
- ○ fait du théâtre.
- ○ danse.

Mathis ○
- ○ chante.
- ○ fait du sport.

Lucas ○
- ○ va au cinéma.
- ○ joue de la guitare.

Lola ○
- ○ fait du shopping.

Vocabulaire

1 Complétez les phrases avec le bon adjectif. Attention aux accords. Plusieurs réponses sont possibles.

génial - ennuyeux - strict - sévère - drôle - joyeux

a Ma sœur Alicia est …
b Mes parents sont …
c Mon frère est parfois …
d Mes amis sont …
e Mon prof est …
f Ma voisine est …

2 Choisissez 4 célébrités que vous aimez (acteur, chanteur, écrivain, personnage de film...). Trouvez, pour chacun, deux adjectifs pour les décrire physiquement.

Noms	Adjectif 1	Adjectif 2
Ex : Marion Cotillard	belle	mince

3 Regardez les personnes suivantes. Donnez 3 adjectifs différents pour les décrire (description du physique et du caractère).

Ex. : a : musclé, blond, sévère

4 Dites ce que fait chaque personnage et décrivez-le avec des adjectifs.

exemple
Elle fait de la danse.
mince, blonde

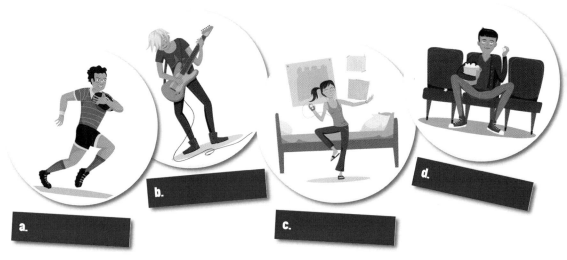

1 Écoutez les mots. Recopiez le tableau dans votre cahier et notez si vous entendez [s] ou [z].

	[s]	[z]
1.		
2.		
3.		
4.		
5.		
6.		
7.		
8.		

2 Écoutez les adjectifs masculins suivants.
Dites quelle nasale vous entendez ([œ̃] un, [ɑ̃] an, [ɛ̃] ain ou [ɔ̃] on).
Puis dans votre cahier, écrivez l'adjectif au féminin.

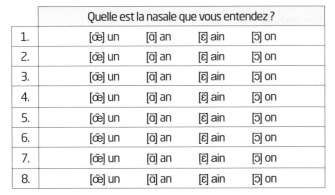

	Quelle est la nasale que vous entendez ?			
1.	[œ̃] un	[ɑ̃] an	[ɛ̃] ain	[ɔ̃] on
2.	[œ̃] un	[ɑ̃] an	[ɛ̃] ain	[ɔ̃] on
3.	[œ̃] un	[ɑ̃] an	[ɛ̃] ain	[ɔ̃] on
4.	[œ̃] un	[ɑ̃] an	[ɛ̃] ain	[ɔ̃] on
5.	[œ̃] un	[ɑ̃] an	[ɛ̃] ain	[ɔ̃] on
6.	[œ̃] un	[ɑ̃] an	[ɛ̃] ain	[ɔ̃] on
7.	[œ̃] un	[ɑ̃] an	[ɛ̃] ain	[ɔ̃] on
8.	[œ̃] un	[ɑ̃] an	[ɛ̃] ain	[ɔ̃] on

3 Écoutez les mots suivants et dites s'ils sont au singulier ou au pluriel.
Que remarquez-vous ?

1.	❏ Singulier	❏ Pluriel
2.	❏ Singulier	❏ Pluriel
3.	❏ Singulier	❏ Pluriel
4.	❏ Singulier	❏ Pluriel
5.	❏ Singulier	❏ Pluriel

4 Ne pas oublier la liaison ! Lisez à haute voix, les mots suivants.
Dans quels cas fait-on la liaison ?

		Je fais la liaison ?	
1.	Un étranger	❏ Oui	❏ Non
2.	Mes amis	❏ Oui	❏ Non
3.	Une amie	❏ Oui	❏ Non
4.	Ma mère	❏ Oui	❏ Non
5.	L'ami	❏ Oui	❏ Non
6.	Les émissions	❏ Oui	❏ Non
7.	Ta radio	❏ Oui	❏ Non
8.	Des auditeurs	❏ Oui	❏ Non

Grammaire

 ## Les pronoms toniques et les pronoms personnels sujets

Pronoms toniques*	Pronoms personnels sujets	Exemples
moi	je	Moi, je m'appelle Adèle.
toi	tu	Toi, tu habites à Bordeaux ?
lui	il	Lui, il est en seconde.
elle	elle	Elle, elle est toujours joyeuse.
nous	on	Nous, on habite à Paris.
nous	nous	Nous, nous préférons aller au concert.
vous	vous	Vous, vous allez au lycée ?
eux	ils	Eux, ils sont très sympas.
elles	elles	Elles, elles s'entendent bien.

* Ils sont principalement utilisés pour renforcer le pronom sujet.

■ On = nous. Ex. : On a 18 ans !
■ Vouvoiement. Ex. : Et vous, Monsieur, vous vous appelez comment ? ≠ Et toi Adèle, tu habites où ?

1 Trouvez le bon pronom. Complétez dans votre cahier.

(a) ..., tu restes à la maison.
(b) Eux, ... sont sympathiques.
(c) ..., nous sommes jeunes.
(d) Elle, ... est belle.
(e) Vous, ... regardez la télé ?
(f) ..., on va au cinéma.
(g) ..., je suis française.
(h) Elles, ... sont géniales.
(i) ..., il est blond.
(j) Et ..., vous vous appelez comment ?

 ## Le genre des adjectifs  Annexe page 102

Masculin	Féminin	
petit	petite	Pour former le féminin, on ajoute un -e.
grand	grande	
sévère	sévère	Les adjectifs terminés par un -e ne change pas leur forme.
drôle	drôle	

2 Mettez les phrases au féminin.
Aidez-vous de l'annexe.

(a) Pablo est espagnol. Il est beau et joyeux.
Carmen ...
(b) Peter est européen. Il est grand et sportif.
Tania ...
(c) Stéphane est français. Il est brun et strict.
Stéphanie ...
(d) Jean-Sébastien est étranger. Il est petit et sympathique.
Marie ...
(e) Michel est vieux. Il est gros et blond.
Élisabeth ...

 ## 3 Écoutez les descriptions.
Associez chaque description au bon personnage.
Ex. : Description 1 = a
Description 2 : ...
Description 4 : ...
Description 3 : ...
Description 5 : ...

 ## Le pluriel des noms et des adjectifs

Singulier	Pluriel	
une mère sympa	des mères sympas	Pour former le féminin, on ajoute un -s.
un cheveu	des cheveux	Pour les terminaisons en -eau, -au et -eu, on ajoute un -x.
beau	beaux	
joyeux	joyeux	Les noms ou adjectifs qui finissent par -s, -z ou -x, restent invariables.

Mettez les mots entre parenthèses au pluriel. Attention ! Les mots peuvent être au masculin ou au féminin. Aidez-vous de l'annexe.

ⓐ Julie et Alice sont (beau).

ⓑ Elles sont toutes les deux (blond).

ⓒ Alice achète des (journal) pour ses parents.

ⓓ Ces (émission) sont vraiment (génial).

ⓔ Les filles vont faire des (gâteau) pour la fête de la francophonie.

ⓕ Lola a les (cheveu) frisés.

 ## Les articles définis et indéfinis

Annexe page 103

	singulier		pluriel	
	défini	indéfini	défini	indéfini
masculin	le, l'	un	les	des
féminin	la, l'	une		

■ Devant un nom ou un adjectif singulier, féminin ou pluriel, qui commence par une voyelle, on utilise l'article défini « l' ».
Ex. : L'âge (masculin)/L'amie (féminin)

 Choisissez le bon article.

ⓐ La/Une/Des cafétéria ouvre à 12 h.

ⓑ Bérangère apporte un/la /les livre à son amie.

ⓒ L'/La/Le année prochaine, je vais au lycée.

ⓓ La/Une/Des fête d'anniversaire de Mélanie est très réussie.

ⓔ La/Une/Des porte de la maison est ouverte.

 ## Les articles contractés

Préposition de + Article défini					Préposition à + Article défini				
de	+	le	=	du	Il joue du piano.	à	+	le	=	au	Ils vont au cinéma.
		les		des	Le chroniqueur radio parle des jeunes.			les		aux	Ils téléphonent aux parents de Maxime.

⑥ Trouvez le bon article défini contracté.

ⓐ Marion Cotillard parle ... journalistes. (masc.)

ⓑ Nous sommes invités ... mariage (masc.) du prince William.

ⓒ Nous avons rendez-vous dans le hall ... lycée. (masc.)

ⓓ Le président ... États-Unis fait un discours à la télévision. (masc.)

ⓔ Anne préfère jouer ... basket. (masc.)

 ## Les adjectifs possessifs

Adjectifs possessifs				Exemples
	masculin	féminin	pluriel	
singulier	mon	ma	mes	mon frère, ma mère, mes parents
	ton	ta	tes	ton nez, ta bouche, tes yeux
	son	sa	ses	son âge, sa taille, ses goûts
pluriel	notre	notre	nos	notre père, nos amis
	votre	votre	vos	votre apparence, vos cheveux
	leur	leur	leurs	leur personnalité, leurs physiques

⑦ Trouvez l'adjectif possessif qui convient.

ⓐ Ne touche pas à ... livres !

ⓑ Stéphane et ... femme, Olivia, vont déjeuner avec ... amis.

ⓒ Est-ce que vous venez avec ... enfants ce soir ?

ⓓ ... maison, à Antoine et moi, est très grande.

ⓔ Accroche ... ceinture de sécurité. Nous allons démarrer.

■ On utilise **mon, ton, son** devant un nom féminin qui commence par une voyelle ou un h muet. Ex. : Mon amie est adorable et très drôle.

■ Vouvoiement. Ex. : Madame, vous êtes sévère avec votre fille.

Écouter

Temps libre

 1 Écoutez les 4 lycéens interviewés et dites qui est Julie, Thomas, Marianne et Olivier.

Les mots pour...

décrire ses loisirs

- Surfer sur Internet
- Regarder la télévision
- Faire **de la** danse/ avoir cours de danse
- Avoir un blog/écrire sur son blog
- Prendre des cours de conduite/passer son permis de conduire
- Jouer **au** rugby

ⓐ ⓑ ⓒ  ⓓ

2 Que font-ils ? Recopiez dans votre cahier le tableau et trouvez les activités de chacun.

	Internet Télévision	Sortie entre amis	Activité sportive	Lecture / Musique
Julie				
Thomas				
Marianne				
Olivier				

3 Répondez aux questions dans votre cahier.

ⓐ Julie

1. Pourquoi aime-t-elle rester dans sa chambre ?
   - Elle joue à des jeux vidéo.
   - Elle aime rester tranquille.
   - Elle répète ses exercices de danse.

2. Que fait-elle après son cours de danse ?
   - Elle va sur Internet.
   - Elle fait du shopping.
   - Elle rentre faire ses devoirs.

ⓑ Thomas

1. Que fait-il quand il est tout seul ?

① ② ③ ④ ⑤

2. Que fait-il avec ses copains ? Il ... et ...

ⓒ Marianne

1. Qu'est-ce qu'elle fait régulièrement ?
   - Elle prend des photos.
   - Elle joue de la musique.
   - Elle écrit sur son blog.

2. Qu'est-ce qu'elle peut faire pendant plusieurs heures ?

ⓓ Olivier

1. Qu'est-ce qu'il fait toutes les semaines ?
   - Une activité sportive.
   - Une activité culturelle.
   - Une activité artistique.

2. Qu'est-ce qu'il doit toujours faire ?

 ## Parler

1 Avec votre voisin ou en groupe, répondez aux questions suivantes.

ⓐ Quel est votre sport préféré ? Est-ce que vous le pratiquez ? Combien de fois par semaine ?

ⓑ Quel est votre genre de film préféré ? Quel est votre acteur ou votre actrice préféré(e) ? Pourquoi ?

ⓒ Quelle musique aimez-vous ? Quel est votre chanteur, chanteuse ou groupe préféré(e) ? Pourquoi ?

2 Vous passez un entretien pour devenir chanteur. Jouez la scène avec votre voisin.

Le groupe *Dynamic* cherche un chanteur et une chanteuse.
Vous aimez le chant ? Vous aimez les voyages ?
Vous aimez les contacts ?
Vous souhaitez passer une audition pour nous rejoindre ?

**TÉLÉPHONEZ AU 01 777 476
ET DEMANDEZ À PARLER À JULIE OU À PABLO.**

➕ **Pour vous aider !**

Vous devez répondre aux questions suivantes :	Vous devez aussi poser les questions suivantes :
• comment vous êtes	• combien de répétitions par semaine il y a
• quand vous pouvez venir	• où sont les répétitions
• où vous habitez	• combien de spectacles par an il y a
	• dans quelles villes sont les spectacles

 Lire

Mais où sortent les jeunes Français ?

Le spectacle

Dim. 15 mai
17h Espace Michel-Simon

Places en vente à l'Espace Michel-Simon
Plus d'infos sur www.jeunesenscene.fr

La jeunesse aime sortir, aller à des soirées, au cinéma, en discothèque. Le premier loisir spécifique à cette génération : le temps passé avec les copains. Les loisirs des jeunes sont toujours plus ou moins les mêmes : le cinéma et le sport sont leurs activités préférées. 80 % sont allés au cinéma au moins une fois dans l'année. La pratique sportive concerne près de 90 % des jeunes adultes, dans un club ou non. Écouter de la musique sur un lecteur MP3, *via* un téléphone mobile, Internet ou en allant au concert est également une pratique commune, avec des styles différents, du R'n'B au rock en passant par le rap ou le métal. Chacun son style. 46 % des moins de 29 ans ont assisté au moins une fois dans l'année à un concert ou à un spectacle.

Enfin, pour occuper leur temps libre, les jeunes filles se tournent davantage que les garçons vers la communication entre ami(e)s (discussions, SMS, messageries instantanées...), le shopping en centre-ville ou dans les centres commerciaux.

 Lisez le texte ci-dessus et trouvez la bonne réponse.

1. Les jeunes aiment passer leur temps :

(a) à voyager.
(b) avec leurs amis.
(c) à organiser des soirées.
(d) seuls à écouter de la musique.

2. Leurs activités préférées sont :

(a) les activités sportives et le cinéma.
(b) les sorties entre copains et Internet.
(c) écouter de la musique et le shopping.
(d) aller voir un spectacle et les discothèques.

3. Quel pourcentage de jeunes Français est allé au moins une fois à un concert cette année ?

(a) 80 % (b) 90 % (c) 46 % (d) 29 %

4. Les garçons et les filles aiment tous faire du shopping et communiquer par Internet.

• Vrai   • Faux

 **Écrire**

1 **Vous chattez sur votre BlackBerry Messenger avec un ami. Complétez le dialogue en répondant aux questions dans votre cahier.**

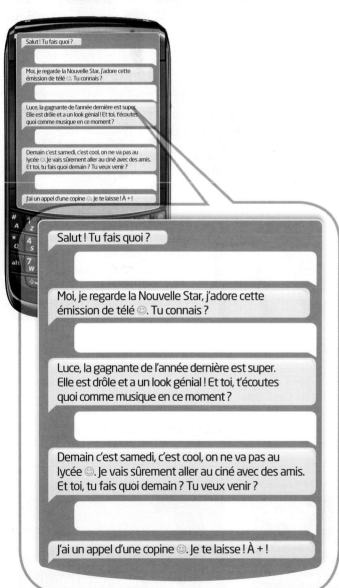

Salut ! Tu fais quoi ?

Moi, je regarde la Nouvelle Star, j'adore cette émission de télé ☺. Tu connais ?

Luce, la gagnante de l'année dernière est super. Elle est drôle et a un look génial ! Et toi, t'écoutes quoi comme musique en ce moment ?

Demain c'est samedi, c'est cool, on ne va pas au lycée ☺. Je vais sûrement aller au ciné avec des amis. Et toi, tu fais quoi demain ? Tu veux venir ?

J'ai un appel d'une copine ☺. Je te laisse ! À + !

2 **Que faites-vous le week-end ? Faites la liste de vos activités sur la page de votre réseau social ADOBOOK (écrivez dans votre cahier).** Aidez-vous des boîtes à outils, pages 19 et 24.

3 **Mon téléphone portable et moi ! Quel utilisateur de téléphone portable êtes-vous ? Écrivez un petit texte à l'aide des questions (environ 80 mots).**

ⓐ Combien d'heures par jour utilisez-vous votre téléphone ?

ⓑ Quel type de téléphone avez-vous (téléphone simple, multifonctions, lecteur MP3, radio, etc.) ?

ⓒ Que faites-vous avec votre téléphone (discussion avec des amis ou de la famille, envoi de SMS ou d'e-mails, jeux, photos, etc.) ?

Les jeunes Français

Les adolescents français passent environ 16 heures sur Internet chaque semaine contre 14 heures devant la télévision. 99 % d'entre eux ont une connexion à Internet. Mais que font-ils sur le Web ?*

1. Les activités préférées des jeunes Français sur Internet

Pour l'ensemble des jeunes (8-18 ans) :

1 : Regarder des vidéos **(91,1 %)**
2 : Écouter de la musique **(90,8 %)**
3 : Jouer **(82,3 %)**
4 : Faire des recherches personnelles **(78,1 %)**
5 : Discuter en ligne **(74,9 %)**
6 : Faire des recherches pour l'école **(74,4 %)**

Pour les lycéens (15-18 ans) :

1 : Écouter de la musique
2 : Discuter en ligne
3 : Regarder des vidéos
4 : Faire des recherches personnelles
5 : Faire des recherches pour l'école
6 : Écrire des e-mails
7 : Regarder l'actualité
8 : Télécharger de la musique ou des vidéos
9 : Regarder des blogs
10 : Jouer à des jeux
11 : Faire des achats

2. Internet : un espace de liberté ?

Les trois sites préférés des jeunes sont Facebook, Youtube et MSN. Mais il existe 340 autres sites dans la liste de leurs sites Internet préférés. Les jeunes ne jouent pas tous aux mêmes jeux, ne vont sur les mêmes sites de musique ou sur les mêmes boutiques en ligne. Ils aiment le sport, mais pas les mêmes sports. Internet permet d'être comme les autres, mais aussi d'être différent, d'avoir sa propre personnalité.

3. Des ados collés à l'écran ?

Les gros utilisateurs d'Internet (plus de 8 h

2 Les adolescents français et Internet. Lisez les informations et répondez, vous aussi, aux questions.

44,5 %

44,5 % des jeunes utilisent Internet tous les jours.

Utilisez-vous Internet tous les jours ?

86 % des lycéens ont un compte Facebook.

Avez-vous un compte Facebook ?

et Internet

**Lisez cet article de magazine.
Divisez la classe en 5 groupes
et répondez aux questions du tableau.**

4. Des ados accros* aux jeux ?

Le jeu est l'une des activités préférées des jeunes sur Internet. Ils sont 82,3 % à jouer. Les plus joueurs sont les plus jeunes ! 32 % des lycéens ne jouent jamais, contre 7 % chez les plus jeunes. Les jeux préférés sont les mini-jeux et les jeux flash. Les jeunes jouent plutôt seuls, à des jeux courts. Les sites les plus visités sont *jeux.fr, jeux-defilles. com.* ■

5. Les dangers d'Internet

Deux lycéens sur trois pensent que les informations trouvées sur Internet ne sont pas toujours vraies. Pour les jeunes, voici les vrais dangers d'Internet : les images choquantes, violentes ou pornographiques (47 %), se faire voler son identité ou l'utilisation de leurs photos sans leur accord (41,8 %), et les virus et/ou le piratage (36,4 %). Seulement 3,5 % des jeunes pensent qu'il n'y a pas de dangers sur Internet.

par jour) représentent seulement 4,3 % des adolescents au total (surtout des garçons). La plupart des jeunes passent une à deux heure(s) par jour sur Internet (45,3 %). Les lycéens utilisent Internet plus que les autres.

*le Web : Internet.
*être accro : adorer quelque chose.

Source : *Les Jeunes et Internet :
de quoi avons-nous peur ?*, Fréquence École, mars 2010.
http://www.frequence-ecoles.org

	Questions
Groupe 1	Lisez le paragraphe 1 de l'article. Quelles sont les différences entre les activités préférées de l'ensemble des jeunes (8-18 ans) et celles des lycéens (15-18 ans) ?
Groupe 2	Lisez le paragraphe 2 de l'article. Quels sont les 3 sites Internet préférés des jeunes ? Aiment-ils tous les mêmes sites ? Que permet Internet ?
Groupe 3	Lisez le paragraphe 3 de l'article. Un jeune passe environ combien d'heures par jour sur Internet ? Que dit-on des lycéens ?
Groupe 4	Lisez le paragraphe 4 de l'article. Combien de jeunes jouent à des jeux sur Internet ? Quel type de jeux préfèrent-ils ? Les lycéens jouent-ils souvent à des jeux ?
Groupe 5	Lisez le paragraphe 5 de l'article. Que pensent les lycéens des informations trouvées sur Internet ? Quels sont les 3 grands dangers d'Internet pour les jeunes ?

82,5 % des collégiens et lycéens ont parfois des expériences négatives sur Internet.
Où utilisez-vous Internet ?

Environ 1 jeune sur 3 discute avec des inconnus sur Internet.
Discutez-vous avec des inconnus sur Internet ?

Test

1 Observez la photo et complétez le texte avec les mots suivants : ...... /5

frisés - sympa - musclé - grande - mince - longs - drôle - bruns - courts - ennuyeuse

Voici la photo de mes amis français.
À gauche, c'est Kévin. Il a 17 ans. Il a les cheveux ... et bruns. Il est très ... car il fait beaucoup de sport. Il est super ...
Au milieu, c'est Thomas, il a les cheveux blonds. Il est vraiment ... : il me fait découvrir la ville.
Et à droite, c'est Stéphane, son frère, il a les cheveux ... Il est ... car il fait toujours des blagues.
La fille avec le t-shirt rouge et avec les cheveux ... s'appelle Marie.
Elle est très sympa, mais un peu ..., elle pense seulement aux études.
Elle est très ... : elle mesure 1 m 80 !
L'autre fille, c'est Claire. Elle a de ... cheveux blonds.

2 Carte postale. Trouvez le bon article. ...... /5

Bonjour,

... mois prochain, je pars en vacances à ... mer chez mon ami français. Il habite dans ... maison au bord de la mer.

... été, c'est génial, il y a beaucoup d'activités à faire. Avec mon copain, nous allons nous inscrire dans ... clubs de sport pour faire du ski nautique et du tennis. Je vais aussi faire ... stages de plongée aquatique niveau avancé. ... cours durent 3 heures tous les matins. ... après-midi, je vais aller me baigner avec ... copains du stage.

Si tu viens dans ... région, viens nous voir !

Bisous,
Paul

 mon, ma,

ton, ta, son, sa

...... /20

3 Choisissez le bon adjectif possessif : sa – mes – ses – son – ton. Plusieurs réponses sont possibles. ...... /5

a ... parents sont parfois très sévères.
b Quelle est ... activité sportive préférée ?
c ... cheveux sont blonds et frisés.
d J'adore ... caractère : elle est toujours joyeuse !
e Comment s'appelle ... sœur ?

4 Trouvez le bon article contracté. ...... /5

a Je joue ... piano depuis 5 ans.
b Il parle ... amis qu'il veut voir.
c Mon petit frère joue ... rugby et mon grand frère ... football.
d Tous les samedis, ma mère fait une tarte ... pommes.

Corrigez en classe et comptez votre score.
Vous avez plus de 20 points ? Bravo !
Vous avez autour de 15 points ? Pas mal.
Vous avez moins de 15 points ? Révisez l'unité et mémorisez !

Unité 2
Mon coin du monde

Décrire un lieu

Dire quels types de commerces il y a

Décrire ses lieux préférés : ce qu'on fait,
où on sort avec ses amis

Compréhension

À l'oral

Dans la rue, à Bruxelles

▶ Bonjour, je suis nouveau dans le quartier. Où est le centre commercial ? Il est **près d'ici** ?

◦ Oui, regarde sur le plan, on est ici **sur le boulevard** des Peupliers. Il faut **aller à gauche après** la rue de Namur. Ensuite, tu **tournes dans la première rue** à droite, rue de la Pépinière. Tu continues **tout droit** et, juste **avant** les cinémas, il y a un petit centre commercial **sur ta gauche**.

▶ Merci beaucoup ! Ah, au fait, il y a une **boulangerie** aussi ?

◦ Oui bien sûr, et une **boucherie**, une **librairie-papeterie**, je crois qu'il y a aussi une **pharmacie** et une **auto-école**.

▶ Génial ! Encore merci. Bonne journée !

1 Écoutez le dialogue.

2 Voici le plan du quartier. Trouvez le chemin pour aller au centre commercial.

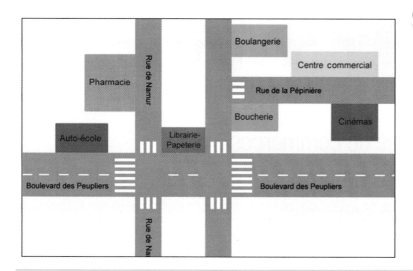

3 Quels commerces y a-t-il ? Choisissez les bonnes photos.

①

②

③

④

⑤

⑥

➕ Les mots pour...

décrire un lieu	parler des commerces
Les prépositions de lieu (1) • Près de, en face de • À gauche ≠ à droite, • Sur la/ta/votre gauche ≠ sur la/ta/votre droite • Tout droit • Avant ≠ après • Dans la rue, sur le boulevard **Attention**, on dit aller **à la** boulangerie, **chez le** boulanger, **à la** boucherie, **chez le** boucher...	• Une boulangerie • Une boucherie • Une poissonnerie • Un restaurant • Une librairie-papeterie • Une pharmacie • Une auto-école • Un supermarché • Un centre commercial • Tourner • Aller • Trouver • Continuer

À l'écrit

Les bons plans à Paris !

Posté par Léo le 23 novembre 2011 à 18h15
Bonjour, je m'appelle Léo et j'ai 16 ans.
Je ne connais pas bien Paris. Vous pouvez me dire ce que je dois voir, faire et les endroits sympas où aller ? Merci !

Posté par Morgane le 23 novembre 2011 à 18h30
Salut, je peux te conseiller quelques adresses et arrondissements
sympas : j'aime bien le quartier du Marais et le Centre Pompidou parce que c'est très animé et j'aime bien le monde. Il y a souvent des expositions sympas et c'est très beau. Si tu aimes la musique, le Divan du Monde propose des concerts gratuits et une bonne ambiance. Pour le shopping, il y a le Citadium, c'est un magasin sur trois étages avec beaucoup de marques de streetwear. Les vendredis, samedis et dimanches c'est le jour des puces* de Clignancourt : c'est un marché énorme et tu peux trouver plein d'objets pas chers ! Tu peux aussi aller au cinéma, le REX. La salle est impressionnante !

Posté par Julien le 23 novembre 2011 à 18h40
Salut Léo, je te conseille d'aller au Hard Rock Café, on mange bien et on s'amuse
beaucoup. Je vais là-bas avec mes amis et on passe toujours un bon moment. En plus, la décoration est géniale : il y a plein d'instruments de musique aux murs et des objets de chanteurs célèbres. Tu peux aussi aller au Trocadéro, c'est une grande place, il y a toujours des danseurs de hip-hop, tu peux faire du roller ou du skate-board et puis, tu as une vue magnifique sur la tour Eiffel ! Après, traverse la place et sur la gauche se trouve le café du Musée, tu peux te mettre en terrasse. Sinon, au Manga Café, tu peux lire plein de mangas et jouer à des jeux vidéo. Tu dois aussi aller à la Géode pour voir des films en 3 dimensions !
Pour te promener, prends le métro ou le Vélib* !

les puces : marché aux puces où l'on vend des objets d'occasion.
le Vélib' : vélo en libre-service à Paris.

1 Quelles idées de sorties Morgane propose-t-elle à Léo ?

2 Qu'est-ce qu'il y a le week-end à Clignancourt ?

3 Julien propose à Léo d'aller dans...
- **a** un restaurant.
- **b** une discothèque.
- **c** un magasin de musique.

4 Comment est la décoration ?

5 Où Julien peut-il voir des danseurs de hip-hop ?

6 Pour aller boire un café, où Léo peut-il aller près du Trocadéro ?

7 Quels moyens de transport Julien conseille-t-il de prendre ?

8 Pour chaque lieu, décrivez ce qu'on peut faire :

Ex. : Le Centre Pompidou. : voir une exposition
- ○ Le Divan du Monde
- ○ Le Citadium
- ○ Le Rex
- ○ Hard Rock Café
- ○ Place du Trocadéro
- ○ Manga Café
- ○ La Géode

➕ Les mots pour...

décrire ses lieux préférés	
• Un quartier	• Animé(e)
• Un arrondissement	• Impressionnant(e)
• Une place	• Magnifique
• Une rue	• Énorme
• Une terrasse	• Se promener
• Un musée	• S'amuser
	• Voir une exposition (expo)
	• Boire un café
	• Aller à un concert

Vocabulaire

1 Je vais où ? Complétez les phrases.

l'auto-école - le supermarché - la pharmacie - le restaurant - la librairie - la boulangerie

a) Je prends des cours de conduite les samedis. Je vais à …

b) Je n'ai plus de pain, je vais aller à …

c) Je dois réserver une table pour trois personnes, je téléphone au …

d) Je dois acheter un livre pour mes cours de philo, je vais à …

e) Il faut faire des courses pour le dîner, va au …

f) Je suis malade. Tu peux aller à … ?

2 Observez ce plan :

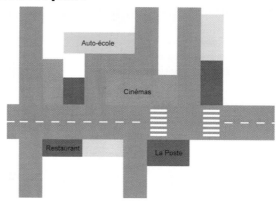

a) **Vous êtes à la Poste. Pour aller à l'auto-école…**
- **1** vous allez tout droit dans la rue.
- **2** vous allez à droite et traversez la rue.
- **3** vous allez à gauche, puis tournez à droite.

b) **Vous êtes à l'auto-école, vous allez au restaurant. Quel chemin prenez-vous ?**
Aidez-vous de la boîte à outils page 32.

c) **Vous êtes au restaurant, vous allez chez votre amie Louise. Trouvez le chemin et indiquez d'une croix où elle habite selon ses indications :**
« Pour venir chez moi du restaurant " Les mouettes ", tu vas sur ta droite. Tu ne tournes pas dans la première à droite, mais dans la première à gauche. C'est la deuxième maison sur la droite. »

d) **Trouvez un emplacement pour une boulangerie, une discothèque et un magasin de jeux vidéo sur le plan. Écrivez dans votre cahier les indications pour s'y rendre en donnant un lieu de départ.** Aidez-vous de la boîte à outils page 32.

3 Voici 3 images. Décrivez ce que vous voyez et, à l'aide de la page 33, expliquez ce qu'on peut faire dans ces endroits.

exemple

C'est le Trocadéro. C'est une grande place. Il y a des danseurs de hip-hop. Tu peux faire du roller ou du skate-board. Tu as une vue magnifique sur la tour Eiffel.

a.

b.

c.

 1 **Dites si vous entendez le même son ou non.**

A				B		
[ə] et [e]	=	≠		[e] et [ɛ]	=	≠
1. ce / ces				1. ces / c'est		
2. le / les				2. les / lait		
3. je / jeu				3. être / elle		
4. mes / me				4. mais /mes		

  2 **Écoutez les phrases et soulignez (dans votre cahier) en vert le son [ə], en rouge le son [e], en bleu le son [ɛ] et en noir le son [ɔ].**

Ex. : Regarde, c'est près de la maison. Tu sors de chez toi et tu tournes à gauche.

ⓐ Il y a une boulangerie et une librairie-papeterie.

ⓑ Elle sort le mercredi au cinéma.

ⓒ J'aime aller à des concerts.

ⓓ Je préfère le hip-hop.

ⓔ Elle joue aux jeux vidéo.

  3 **Maintenant, répétez les phrases à voix haute.**

  4 **Écoutez et remplacez les blancs par la lettre « e », « é », « è » ou les lettres « ai ». Ensuite, répétez la phrase à haute voix plusieurs fois.**

N'oubliez pas de faire les liaisons ! (‿)

Sam...di apr....s-midi, je v.....s f......re les magasins. Je dois acheter des aff.....res pour aller à l'annivers......re de C...dric. Si tu veux v.....nir avec moi, on mang.... ensemble à midi et apr.....s on f.....t les boutiques !

   5 **Maintenant, écoutez de nouveau le texte et lisez-le à voix haute.**

Grammaire

 Le présent de « pouvoir »

 Complétez les phrases avec le verbe *pouvoir* au présent de l'indicatif :

a Je ... te conseiller quelques adresses et arrondissements sympas.

b C'est un marché énorme et on ... trouver plein d'objets pas chers !

c Avec tes amis, vous ... aussi aller au cinéma le Rex.

d Tes frères ... aller faire du skate-board Place du Trocadéro.

Pouvoir (présent de l'indicatif)
Je peux
Tu peux
Il/elle/on peut
Nous pouvons
Vous pouvez
Ils/elles peuvent

 Le passé composé avec l'auxiliaire « avoir »

Annexe page 103

On emploie le passé composé pour parler d'une action qui ne dure pas dans le temps et qui est terminée au moment où on parle.

■ Structure : sujet + **avoir conjugué au présent de l'indicatif** + participe passé

■ Construction du participe passé : aimer → aimé. Ex. : Nous **avons** visité le Centre Pompidou.

Avoir	en « é » (verbes en -er)	+ participe passé					
		en « u »		en « i » / « it » / « is »		Exceptions	
J'ai	tourné	voir	vu	choisir	choisi	faire	fait
Tu as	continué	pouvoir	pu	apprendre	appris	être	été
Il/elle/on a	conseillé	connaître	connu	dire	dit	avoir	eu
Nous avons	aimé						
Vous avez	trouvé						
Ils/elles ont	adoré						

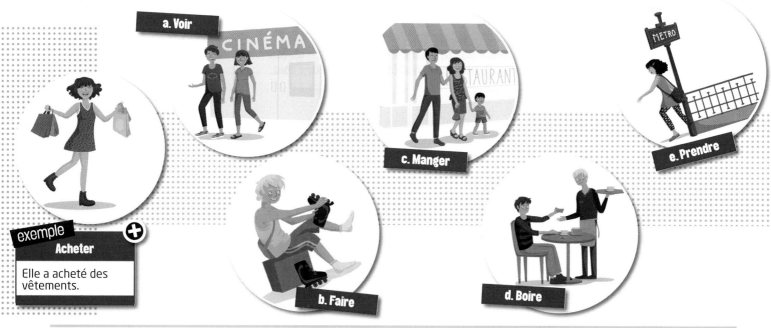 Qu'est-ce qu'ils ont fait ? Écrivez dans votre cahier une phrase pour chaque image.

a. Voir

c. Manger

e. Prendre

exemple
Acheter
Elle a acheté des vêtements.

b. Faire

d. Boire

3 Voici un texte au présent, transformez-le au passé composé.

Aujourd'hui, je fais les boutiques. J'achète le cadeau pour Léo. Ensuite, je retrouve Morgane
et on fait une pause au café. On attend l'ouverture du cinéma, alors on boit un coca et l'on mange
un gâteau. Le cinéma ouvre ses portes. On choisit un film intéressant. Le soir, on voit Julien.
Il fait un concert près de la Place du Trocadéro.

▶ Hier, j'ai fait les boutiques...

4 Conjuguez les verbes au passé composé.

Morgane et Julien (faire) ... la connaissance de Léo il y a deux mois sur Internet. Léo est à Paris
depuis le mois de septembre, mais Morgane et Julien (habiter toujours) ... à Paris. Depuis
leur rencontre, ils (boire) ... un café ensemble, (manger) ... au restaurant et ils (parler) ...
très souvent sur Internet.

Les adjectifs démonstratifs : ce, cet, cette, ces  Annexe page 104

Singulier		Pluriel	
Masculin	Féminin	Masculin	Féminin
ce / cet (devant un mot commençant par une voyelle ou un « h » muet)	cette	ces	

■ **Attention !** À l'oral, « cet » se prononce comme « cette ». Ne vous trompez pas à l'écrit !

5 Écoutez et lisez le dialogue suivant.

Morgane fait découvrir la ville à Léo.

▶ **Léo :** Il est super beau ce musée !

▶ **Morgane :** Oui, on peut aller voir une exposition si tu veux.

▶ **Léo :** Génial ! Et cette place, elle est très animée !

▶ **Morgane :** Oui, mais cet espace est toujours envahi de skateurs.

▶ **Léo :** Et ces restaurants en face, ils sont bien ?

▶ **Morgane :** Oui, ce midi, on peut aller dans ce restaurant, on mange bien et l'ambiance est bonne !

6 Avec quel autre mot utilise-t-on « cet » ? Trouvez les bonnes réponses.

ⓐ arrondissement ⓑ endroit ⓒ adresse ⓓ exposition ⓔ quartier

7 À vous ! Complétez avec ce - cet - cette - ces.

J'adore ... quartier. Elle est impressionnante ... place ! Et regarde tous ... magasins ! Tiens, voilà Julien ! On a rencontré Julien ... été,
tu te souviens. C'est ... garçon qui habite en Belgique.

Oral

Écouter

Les ados et le shopping en ligne

1 Écoutez le document.

2 Citez trois choses que les jeunes Français achètent sur Internet.

3 Manon...
- **a** achète seulement en boutique.
- **b** regarde, choisit en boutique et achète sur Internet.
- **c** consulte Internet et va acheter ses vêtements en boutique.

4 Que fait Manon pour ne pas avoir les mêmes vêtements que ses amies de lycée ?

5 Pour son anniversaire, Axelle a conseillé à ses parents de...
- **a** d'acheter autre chose qu'un appareil photo.
- **b** de consulter les prix de l'appareil photo sur Internet.
- **c** d'aller dans un magasin spécialisé.

6 Qu'achète Quentin Sur Internet ?

7 Qui paye ce qu'achète Quentin ?

8 Que recherche Maxime sur Internet ?

- **a** des places de cinéma
- **b** des DVD
- **c** des jeux de stratégie

9 Pourquoi Maxime n'a pas besoin de ses parents pour payer en ligne ?

➕ Les mots pour...

décrire comment on achète		
• Le repérage en boutique	• Économiser	• Faire de bonnes affaires
• Une carte bancaire	• Faire les magasins	• Payer
• Une carte prépayée	• Acheter en ligne	• Télécharger
• L'argent de poche	• Comparer les prix	• Être fan de

Parler

 1 **Expliquez à votre voisin de classe le trajet que vous faites pour venir au lycée.** Aidez-vous de la boîte à outils !

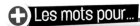 **Les mots pour...**

parler des moyens de transport

• Prendre le bus, le tramway, le métro, mon vélo, ma voiture, mon scooter

Attention, on dit : aller au lycée **en** bus, **en** voiture, **en** métro, **en** scooter et **à** vélo, **à** pied

2 **Voici trois photos. Choisissez une photo et faites-la deviner à la classe (Il y a..., à droite..., sur..., devant...). Dites pourquoi vous l'avez choisie.**

 **3** **À deux, discutez du shopping en ligne :**

ⓐ Achetez-vous sur Internet ? Si oui, qu'achetez-vous ?
ⓑ Est-ce que vous préférez acheter en ligne ou aller dans les magasins ?
ⓒ Est-ce-vous qui achetez ou vos parents ?
ⓓ Quels sont vos sites préférés d'achats en ligne ?
ⓔ Est-ce que vous vendez des choses sur Internet ? Si oui, quoi ?

Le blog de Julie
Ma nouvelle maison !

Salut tout le monde !

Voilà, je suis enfin arrivée à Montpellier dans ma nouvelle maison ! Moi, je suis super heureuse car j'ai enfin ma chambre à moi ! Je peux écouter MA musique, aller sur Internet quand je veux !

- Ma chambre, c'est mon endroit préféré ! Elle est grande et très claire, mais un peu en désordre ! Sur le mur, près de mon lit, j'ai mis plein de photos de vous ! Finis les devoirs dans la cuisine ou dans la salle à manger, maintenant j'ai un bureau avec mon ordinateur et mon lecteur MP3.

- Et voici la salle de bains bleue : elle a une douche et une baignoire ! Je vais pouvoir me détendre dans des bains biens chauds...

- Le salon, super confortable avec le canapé tout neuf et les beaux tapis !

- J'adore la cuisine, elle est rouge, c'est génial ! Vous avez vu la table ? On dîne ici le soir.

Voilà ! J'attends vos commentaires sur ma nouvelle page de blog ! À bientôt ! Donnez-moi des nouvelles !!
Julie

1 **Sur la carte de France, expliquez où se trouve Montpellier** (près de, à gauche, à droite...).

2 **Qu'est-ce qui est différent pour Julie ?**

- (a) Elle a une chambre plus grande.
- (b) Elle ne partage plus la chambre avec sa sœur.
- (c) Elle a un nouvel ordinateur.

3 **Où se trouve le bureau de Julie ?**

4 **Dans quelle pièce de la maison Julie fait-elle ses devoirs ?**

(a) la cuisine   (b) sa chambre   (c) la salle à manger

5 **Qu'est-ce qu'il y a près du lit de Julie ?**

(a)

(b)

(c)

Écrire

À propos
du blog de Julie...

1 Écrivez sur le blog de Julie ! Aidez-vous des boîtes à outils.

a Écrivez un commentaire sur son blog. Vous lui donnez votre avis sur sa maison.

b Vous lui parlez de votre pièce préférée.

+ Les mots pour...

parler des pièces d'une maison

- La chambre : un lit, un bureau, un mur, un ordinateur
- Clair(e) ≠ sombre; en désordre ≠ ordonné(e)
- Le salon : un canapé, un tapis
- La salle à manger
- La salle de bains
- La cuisine : une table

2 Décrivez votre quartier et racontez les activités que vous pouvez faire (aller au cinéma, à la piscine...) sur votre page ADOBOOK.
Aidez-vous de la page 34 !

Votre séjour linguistique dan

Vous voulez faire un séjour linguistique dans une ville francophone pour améliorer votre français et découvrir un nouveau pays. Voici trois destinations possibles :

Séjour linguistique à Paris

LA VILLE : Paris est le centre économique, politique et culturel de la France. Toutes les grandes tendances en musique, mode, cinéma ou théâtre partent de la capitale. Avec ses scènes historiques uniques et la grande diversité de ses expositions, Paris est une ville de musées. La Sorbonne, les rives de la Seine, Notre-Dame, le musée d'Orsay, le Louvre, et bien d'autres lieux encore, font partie des quartiers les plus visités de Paris. Sans oublier la célèbre tour Eiffel !
Les rives de la Seine, avec l'Île de la Cité et l'Île Saint-Louis, invitent à la promenade. Il vous suffit de faire quelques pas pour admirer l'Hôtel de ville ou pour vous rendre aux « Halles », un grand centre commercial. Utilisez le métro parisien pour vous déplacer dans Paris, vous gagnerez du temps !
LES + DES ÉCOLES DE LANGUES : Dans le quartier latin – cybercafé et wifi gratuit – famille d'accueil – fête de bienvenue – visite touristique d'une demi-journée – une activité tous les soirs

 Recopiez les 2 tableaux suivants dans votre cahier et complétez-les.

Les villes	Découvertes à faire (lieux, monuments...)	Activités possibles (sportives, culturelles)	Ce qui n'est pas dit et que vous aimeriez savoir...
Paris			
Montréal			
Bruxelles			

Les écoles	Situation (centre-ville)	Type de classe et matériel à disposition	Activités proposées	Ce qui n'est pas dit et que vous aimeriez savoir...
Paris				
Montréal				
Bruxelles				

 Quelle destination choisissez-vous ? Pourquoi ?

ne métropole francophone !

Séjour linguistique à Montréal

LA VILLE : Située sur une île du fleuve St Laurent, Montréal se trouve au carrefour des cultures française et anglaise. Son centre-ville est très animé et idéal pour les promenades. En hiver, vous pouvez skier et faire du patin à glace. Dans les mois plus doux, vous pouvez vous promener, faire des randonnées, du vélo, de la natation, de la voile, jouer au golf ou au tennis. La ville souterraine de Montréal, construite dans les années 1960, propose 11 700 boutiques ainsi que des grands magasins, restaurants, théâtres et cinémas – le tout sans jamais mettre le pied dehors ! Faites une balade ou un circuit en calèche dans le vieux Montréal, le petit quartier de la vieille ville au bord du port avec ses restaurants, ses cafés, ses galeries d'art et ses boutiques de souvenirs. Hiver comme été, Montréal vit au rythme de ses festivals (jazz, humour, cirque et plus encore !). Sans oublier les nombreux jardins et parcs d'attractions.

LES + DES ÉCOLES DE LANGUES : Accès facile au métro – grandes salles de classe confortables – cafétéria – centre de ressources (ordinateurs avec Internet, CD-ROM et matériel audio) + accès wifi

Séjour linguistique à Bruxelles

LA VILLE : Ses musées, ses rendez-vous festifs, son Manneken Pis, son Atomium, sa Grand-Place et ses architectes, peintres, écrivains ou musiciens de renom comme Victor Horta, René Magritte, Hergé ou Jacques Brel, tout cela atteste de la richesse culturelle de Bruxelles. La capitale européenne a son folklore typique (comme le Meyboom, grande fête populaire où défilent les géants de Bruxelles) et ses spécialités culinaires : venez goûter le chocolat belge au musée du Cacao et du Chocolat, déguster un plat de moules-frites dans un des nombreux restaurants bruxellois et, pour le goûter, allez à la « baraque à gaufres » ! Enfin, détendez-vous dans l'un des nombreux parcs et espaces verts.

LES + DES ÉCOLES DE LANGUES : En centre-ville - bibliothèque (livres et journaux en français) - centre de ressources multimédia - en résidence, chambre individuelle - chaque semaine, atelier d'écriture, jeux de société, atelier Internet, visite guidée de Bruxelles sur la gastronomie, les institutions européennes, etc.

À vous !

3 Vous réalisez un petit dépliant pour présenter votre ville et votre école à des élèves en France. Pour vous aider, répondez aux questions :

- Où se trouve votre ville dans votre pays ?
- Que peut-on découvrir dans votre ville ?
- Quelles activités peut-on pratiquer ?
- Où se trouve votre école ?
- Décrivez votre école (grande, petite, nombre d'élèves, classes, bibliothèque, etc.).
- Quelles activités sont organisées ?
- Quelles photos mettez-vous pour illustrer votre dépliant ? (un monument, une rue…).

4 Faites découvrir une ville francophone à votre classe.

(a) À l'aide de la carte de la francophonie à la fin du livre, choisissez la capitale d'un pays francophone.
(b) Faites des recherches sur Internet sur cette capitale francophone. Utilisez les questions de l'exercice 3 pour vous aider.
(c) Présentez votre ville à l'oral à la classe : chaque personne de votre groupe doit présenter au moins un monument/lieu/événement culturel.
(d) Les autres peuvent vous poser des questions à la fin de votre présentation !
(e) Toute la classe vote pour la ville francophone qu'elle préfère.
(f) Vous pouvez réaliser le dépliant de votre ville francophone et l'exposer dans votre lycée !

Complétez les phrases avec le mot qui convient. ...... /4

le magasin - la boulangerie - la pharmacie - le restaurant

(a) Pour acheter des médicaments, va dans ... du centre-ville.
(b) Je viens de trouver cette jolie petite robe dans ... du coin de la rue.
(c) Ces croissants sont bons ! Je les ai achetés dans ... près de chez toi !
(d) Je n'aime pas ... « Les deux fourchettes », on ne mange pas très bien.

 À l'aide du plan, expliquez le chemin pour aller du lycée Janson-de-Sailly au Trocadéro. Utilisez : tourner - aller - continuer - traverser - prendre - arriver à droite - tout droit - en face - la première rue. **Il y a plusieurs possibilités.** ...... /4

À partir du lycée, tu ... sur la ....
dans la rue de la Pompe. Tu ...
dans ... à droite. Tu vas ... Tu ...
la rue Poincaré. Tu ... tout droit
vers la rue de Longchamp.
Mais tu ne ... pas cette rue.
Tu ... sur l'avenue Kléber.
Tu vas ... vers l'avenue
du Président-Wilson.
Tu traverses cette avenue.
L'esplanade du Trocadéro est ...

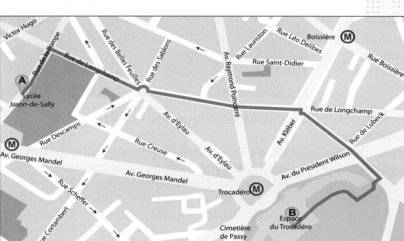

 Complétez les phrases suivantes par l'adjectif démonstratif qui convient : ce, cet - cette - ces. ...... /4

(a) Tu aimes ... quartier ?
(b) ... magasins sont intéressants.
(c) ... endroit est magnifique !
(d) Vous prenez ... rue, puis allez tout droit.

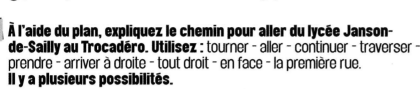 **Complétez les phrases suivantes avec le verbe « pouvoir » conjugué au présent.** ...... /4

(a) Julie et Florian ne ... pas venir ce soir.
(b) Nous ... t'accompagner, si tu veux.
(c) Ils ... changer le lieu de rencontre.
(d) Est-ce que tu ... venir au cinéma ce soir ?

 Répondez aux questions en utilisant « il y a » et en conjuguant au passé composé. ...... /4 ..... /20

Ex. : Tu **as** ton permis de conduire **depuis** 1 an ?
(commencer mes leçons/1 mois) ➾ Non, j'**ai commencé** mes leçons de conduite **il y a** 1 mois.
(a) Elle **prend des** cours de guitare **depuis** 4 mois ?
   (prendre son premier cours/2 semaines) ➾ Non, ...
(b) Romain ne **vient** plus à la piscine **depuis** 2 semaines ?
   (déménager dans une autre ville/1 mois) ➾ Oui, ...
(c) Ils **vivent** à Montréal **depuis** 2 ans ?
   (leur père/choisir un nouveau travail /2 ans) ➾ Oui, ...
(d) Vous **rencontrez** souvent Morgane dans le quartier **depuis** une semaine ?
   (trouver un appartement dans le quartier/3 semaines) ➾ Oui, ...

Corrigez en classe et comptez votre score.
Vous avez plus de 20 points ? Bravo !
Vous avez autour de 15 points ? Pas mal.
Vous avez moins de 15 points ? Révisez l'unité et mémorisez !

Alors, **o**n sort ?

Inviter quelqu'un à faire quelque chose

Accepter ou refuser une invitation

Donner des instructions

Compréhension

À l'oral

Une soirée d'anniversaire

Karim appelle deux amis à lui.

1

- ▶ Salut Kévin, c'est Karim. Je t'appelle pour t'inviter à une fête samedi soir pour mon anniversaire. Est-ce que tu es libre ? Tu penses venir ?
- ▶ Oui, j'ai vu ton invitation sur Facebook. C'est ok. Avec plaisir. J'apporte à boire et à manger !
- ▶ Non, ce n'est pas la peine. J'ai déjà tout acheté.
- ▶ Ça se passe chez toi ?
- ▶ Oui !
- ▶ Tu habites toujours à côté du lycée ?
- ▶ Oui. En face du terrain de football, à droite de la boulangerie.
- ▶ Super ! À samedi !
- ▶ À samedi !

2

- ▶ Bonjour, c'est Karim. Gaëlle est là, s'il vous plaît ?
- ▶ Bonjour. Il n'y a pas de Gaëlle ici.
- ▶ Oh, excusez-moi ! Je me suis trompé de numéro.
- ▶ Ce n'est pas grave. Au revoir.
- ▶ Au revoir.

3

- ▶ Bonjour, c'est Karim. Je souhaiterais parler à Gaëlle s'il vous plaît. Elle est là ?
- ▶ Oui, attends une seconde, je te la passe.
- ▶ Allô Karim ? C'est moi Gaëlle ! Comment tu vas ?
- ▶ Super. Est-ce que tu viens toujours à ma fête samedi soir pour mon anniversaire ?
- ▶ Samedi ? À quelle heure ?
- ▶ Ça commence à 19 h.
- ▶ Ah, je suis désolée. Nous partons samedi à 16 h en famille à la campagne.
- ▶ Ah, c'est dommage ! Tu n'as pas vu mon invitation sur Facebook ?
- ▶ Tu sais, je ne regarde jamais Facebook. Je n'aime pas. Je t'envoie un texto samedi. Je t'embrasse.
- ▶ Oui, moi aussi ! Bon week-end.

---

1 Écoutez les conversations.

2 Répondez aux questions.

ⓐ Karim appelle deux de ses amis pour :
- les inviter à la campagne.
- les inviter à sa fête d'anniversaire.
- les inviter à faire du sport.

ⓑ Qui accepte de venir ? Qui refuse de venir ? Pourquoi ?

ⓒ Où habite Karim ?
- en face du lycée
- derrière le terrain de football
- à côté de la boulangerie

ⓓ À quelle heure commence l'événement ?

ⓔ Est-ce que Kévin doit apporter à boire et à manger ?
- Oui, chaque invité apporte quelque chose.
- Non, Karim a déjà tout acheté.

ⓕ Est-ce que Karim a mis une invitation sur Facebook ?
- Oui, Kévin a vu son invitation sur Facebook.
- Non, Karim n'aime pas Facebook.

ⓖ Qui ne regarde jamais Facebook ? Pourquoi ?

➕ Les mots pour...

téléphoner à quelqu'un

- Allô ?
- Bonjour, je souhaiterais parler à...
- Bonjour, c'est ..., ... est là, s'il vous plaît ?
- Excusez-moi, je me suis trompé(e) de numéro.
- Attends une seconde, je te la passe.
- Au revoir.

inviter quelqu'un à faire quelque chose (1)

- Inviter à une fête.
- Une invitation
- Est-ce que tu viens à ma fête ?
- Ça se passe chez toi ?
- Ça commence à ...
- Apporter quelque chose

À l'écrit

Invitation par texto

Alexandre

J'ai vraiment envie d'aller voir l'expo photo de Depardon, mais elle se termine dans 3 jours. Si tu as toujours envie de venir, dis-moi quand tu peux te libérer. Bises

Maureen

Coucou. :) Nous allons tous ensemble au centre commercial demain vers 15 h pour les soldes. Ça te dit de venir avec nous ? À tout'

Dylan

Week-end détente et barbecue dans la maison de mes grands-parents. Tu es la bienvenue ! Envoie-moi un texto pour me dire si tu es ok ! Bisou

Adeline

Énorme soirée musique ce soir de 21 h à 3 h du matin : concert de reggae, ska, dub, groove... Toujours partant ? Si tu viens, prends le CD que je t'ai prêté !

Sébastien

Impossible ! Demain, j'ai un match de basket super important. On est en finale contre Toulouse ! Je t'appelle quand j'ai fini. Bises

Victor

J'ai l'anniversaire de ma sœur samedi. Je ne peux pas venir à 21 h, mais à 22 h oui. Attends-moi et je viens avec toi ! Je n'oublie pas ton CD. À plus

Leïla

Je l'adore, mais j'ai déjà quelque chose de prévu. J'ai un dossier important à terminer pour la semaine prochaine. Désolée. :(Tu me raconteras...

Fadel

Excellente idée ! Avec plaisir ! J'ai justement besoin de repos, et ce week-end, je suis complètement libre. Merci pour l'invitation. Je t'appelle ce soir pour les détails. :) Bisous

1 Qui parle à qui ? Associez à chaque réponse, la question qui correspond.

- **a** Alexandre écrit à ...
- **b** Maureen envoie un texto à ...
- **c** Dylan invite ... par SMS.
- **d** Adeline propose à ... d'aller à une soirée.

2 Qui accepte et qui refuse ?

- **a** Entre Sébastien, Victor, Leïla et Fadel, qui refuse l'invitation de leur ami ?
  - • ...   • ...   Pourquoi ?
- **b** Entre Sébastien, Victor, Leïla et Fadel, qui accepte l'invitation de leur ami ?
  - • ...   • ...   Pourquoi ?

➕ Les mots pour...

inviter quelqu'un à faire quelque chose (2)

- Ça te dit de venir avec nous ?
- Tu es le/la bienvenu(e).
- Avoir envie de venir
- Se libérer
- Être toujours partant(e)

accepter ou refuser une invitation

- Excellente idée.
- Avec plaisir.
- C'est ok !
- Je ne peux pas.
- J'ai déjà quelque chose de prévu.
- Je ne peux pas venir.
- Impossible ! J'ai ...

1 Répondez en choisissant la bonne phrase ci-dessous :

Je ne peux pas. Je dois aller à la poste. - Merci pour l'invitation, mais je ne peux pas partir en vacances. - C'est une très bonne idée. J'ai besoin d'aller au centre commercial. - Je suis désolée, mais j'ai déjà quelque chose de prévu vendredi soir. - Avec plaisir, mais c'est un peu tôt.

a On sort ? - Oui. ...
b Tu veux prendre un café ? - Non. ...
c Je vous donne rendez-vous samedi à 7 h du matin. - D'accord. ...
d Une discothèque vendredi soir, ça te dit ? - Non. ...
e Tu veux partir avec moi en vacances ? - Non. ...

2 Complétez les dialogues avec vos propres phrases.

a Salut ! Ça te dit d'aller au concert de DIAM'S ce soir avec moi ?
- ....
- C'est dommage. À demain.

b Hélène, j'ai deux places pour aller voir une pièce de théâtre samedi. Je t'invite !
- ....
- Super ! On dit 19 h 15 devant le théâtre de la ville. À samedi !

c ...
- Avec grand plaisir ! J'adore la danse, mais c'est à quelle heure ?
- ...

d À vous d'inventer un dialogue !
- ....
- ...

3 À deux, jouez les scènes. Aidez-vous de la boîte à outils !

Scène 1 : Deux amis
Le téléphone sonne.
A - Vous répondez.
B - Votre ami vous invite à sortir quelque part.
A - Vous refusez et vous expliquez pourquoi.
A - Vous vous excusez et vous raccrochez.

Scène 2 : Deux amis
Le téléphone sonne.
A - Vous appelez un ami chez lui. Vous le saluez.
B - Sa sœur répond et vous demande de patienter.
B - Votre ami répond au téléphone téléphone et vous salue.
A - Vous l'invitez à sortir le soir voir une compétition de skateboard.
B - Votre ami accepte.
A - Vous le saluez.

1 Écoutez et complétez les mots avec « g » ou « ch ».

a ... arçon
b ... arles
c ... ez
d a ... eter
e ... aëlle
f pro ... ain
g re ... arder
h ... uillaume

2 Écoutez. Quel mot entendez-vous ?

a rue / roue
b du / doux
c nu / nous
d a bu / à bout
e aigu / égout
f hutte / août
g puce / pouce
h bulle / boule

3 Vous entendez le son [j] ou le son [ʒ] ? Attention, les deux sons peuvent être dans le même mot.

	1.	2.	3.	4.	5.	6.	7.
[j]	✓						
[ʒ]							

4 Quel mot entendez-vous en premier ?

	[z]	[s]
1.	case	casse
2.	base	basse
3.	La Paz	la passe
4.	ruse	russe
5.	seize	cesse
6.	zoo	sot
7.	rase	race

5 Écoutez et répétez de plus en plus vite.

a Les chaussettes de l'archiduchesse sont-elles sèches, archisèches ?
b Je veux et j'exige d'exquises excuses.

6 Le bon mot

a Écoutez les mots et répétez.
le jour, les jours, de disques, des disques, ce magasin, ces magasins, le fil, défilent

b Écoutez et notez les phrases dans votre cahier.

7 Question ou réponse ?

a L'intonation est montante quand on pose une question.
Ex. : Est-ce que tu viens à ma fête samedi ?

b Écoutez l'intonation des phrases et dites si c'est une interrogation ou une affirmation.

	1.	2.	3.	4.	5.	6.
interrogation						
affirmation						

Grammaire

 L'interrogation  Annexe page 105

Il existe trois possibilités pour poser une question simple :

Intonation montante	Avec « est-ce que »	Inversion du sujet
• Vous allez au cinéma ? Oui / Non.	• Est-ce que vous allez au cinéma ? Oui / Non.	• Allez-vous au cinéma ? Oui / Non.

■ Quoi / Qu'est-ce que :
- Tu apportes quoi à manger ? = - Qu'est-ce que tu apportes à manger ?
- J'apporte de la pizza.

1 Trouvez d'autres manières de poser les questions.

a Pierre a accepté ton invitation ?		
b	Est-ce que le spectacle commence à 19 h 30 ?	
c		Marie est-elle là ?

2 Trouvez les questions correspondant à ces réponses. Utilisez « est-ce que » ou « qu'est-ce que ».

a - ... ▶ - Oui, apporte à boire.
b - ... ▶ - Oui, j'adore Facebook !
c - ... ▶ - Demain, j'ai un match de basket.
d - ... ▶ - Non, je ne peux pas venir à 21 h.
e - ... ▶ - Le week-end, je vais très souvent à des concerts.

 **La négation**

- Tu viens ? - Non, je ne peux pas. - Tu fais encore du basket ? - Non, je ne fais plus de sport. - Tu habites toujours à Paris ? - Je n'ai jamais habité à Paris.	• Pour exprimer la négation, on utilise ne ... pas, ne ... plus (fin d'une action) et ne ... jamais.
- Tu veux aller au cinéma ? - Non, je n'ai pas envie.	• Devant une voyelle, ne devient n'.

3 Répondez à la forme négative.

a Tu peux venir demain ? ▶ - ...
b Tu es toujours disponible aujourd'hui ? ▶ - ...
c Elles écoutent du reggae ? ▶ - ...
d Vous faites encore du sport le mardi ? ▶ - ...
e Tu aimes la musique classique ? ▶ - ...

L'impératif

Il a trois personnes (tu, nous et vous). Il se forme comme le présent de l'indicatif, sauf avec « tu » pour les verbes en -er : le -**s** disparaît !

■ Avec l'impératif, on n'utilise pas de pronom sujet.

■ Il exprime une invitation, un ordre ou un conseil.

Présent	Impératif	Quelques expressions à l'impératif
Tu écoutes. Tu viens.	Écoute ! Viens !	Excusez-moi ! Allons-y ! Tiens ! Donne !
Tu vas au cinéma. Nous visitons le musée. Vous venez à la fête.	Va au cinéma ! Visitons le musée ! Venez à la fête !	Attention ! Le verbe être est une exception : Sois gentil ! Soyons patients ! Soyez forts !
Tu m'appelles. Vous nous dites...	Appelle-moi ! Dites-nous !	

4 **Associez les dessins aux expressions à l'impératif correspondantes.**

a Appelez-moi si vous allez au cinéma ce soir !

b Dites-nous quand vous rentrez à la maison.

c Attendez-nous ! On arrive en voiture.

d Excusez-moi. Vous pouvez répéter ?

 Le passé composé avec être ⟶ Annexe page 103

Le passé composé se conjugue normalement avec l'auxiliaire avoir (U2).
On utilise l'auxiliaire être pour les verbes : naître, mourir, aller, arriver, partir, venir, rester, tomber, monter, descendre, entrer, sortir, passer, demeurer, retourner.

■ Avec l'auxiliaire être, le participe passé s'accorde avec le sujet.

Je	allé/allée au cinéma trois fois cette semaine.
Tu	arrivé/arrivée à quelle heure ce matin ?
Il/elle/on	parti/partie tard hier soir.
Nous	revenus/revenues à minuit.
Vous	retournés/retournées à la fête ?
Ils/elles	restés/restées à la maison.

5 **Accordez les verbes au passé composé.**

a Je ... (aller) au concert de DIAM'S avec mon ami hier soir. J'ai adoré !

b Nous ... (tomber) sur une star au restaurant la semaine dernière.

c Les filles ... (revenir) du nouveau centre commercial tard samedi soir.

d Vous ... (rester) à la maison tout le week-end ?

e Ils ... (partir) de chez vous à quelle heure ?

Oral

 **Écouter** — **Des sorties sympas !**

 1 Vous écoutez la radio JeunesFM qui propose toujours des sorties sympas. Recopiez le tableau dans votre cahier et notez les informations utiles pour ces 3 annonces.

	Sorties	Où ?	Quel jour ?	De quelle heure à quelle heure ?
Annonce 1	Inauguration d'un nouveau magasin de musique CIDI-Oh'			
Annonce 2	Dédicace de la nouvelle BD de Marc-Antoine Mathieu			
Annonce 3	Concert de plusieurs groupes de R'n'B			

2 Vous avez proposé à vos 3 amis les sorties entendues à la radio. Écoutez les messages de vos amis. Recopiez le tableau dans votre cahier et complétez leur emploi du temps.

	Rio				Karine				Pierre			
	8h	12h	14h	00h	8h	12h	14h	00h	8h	12h	14h	00h
lundi	occupé		occupé									
mardi												
mercredi												
jeudi												
vendredi												
samedi												
dimanche												

+ Les mots pour...

sortir

- Une inauguration
- Une dédicace
- Une BD (bande déssinée)
- Un entraînement
- Donner envie
- Être très occupé(e) ≠ Être libre / disponible
- Tiens-moi au courant !

3 Répondez aux questions dans votre cahier.

a Qui est libre pour aller avec toi à l'inauguration du nouveau magasin de musique CIDI-Oh' ?

b Qui peut aller avec toi à la dédicace de la nouvelle BD de Marc-Antoine Mathieu ?

c Qui est disponible pour aller avec toi au concert de plusieurs groupes de R'n'B ?

 Parler

1 **À deux, jouez un rôle, puis changez de rôle.** Aidez-vous des boîtes
à outils, pages 46 et 47.

- **a** Vous donnez rendez-vous à votre ami(e) devant le cinéma pour aller voir le dernier film de Luc Besson. Il/Elle accepte et explique pourquoi.
- **b** Vous invitez votre ami(e) à aller voir un match de basket-ball cet après-midi. Il/Elle refuse et explique pourquoi.
- **c** Vous proposez à votre ami(e) un week-end dans un parc d'attractions. Il/Elle accepte et explique pourquoi.
- **d** Vous invitez votre ami(e) à passer le week-end à la campagne. Il/Elle refuse et explique pourquoi.

2 **À l'aide du dessin, complétez le courriel de Tanguy. Utilisez les expressions suivantes :**
à côté de - dessus - sur - en face de - sur la droite - au milieu - entre - sous

Salut, voici ma nouvelle chambre !
... mon lit, il y a une table de nuit noire. J'ai toujours un livre posé ...
... de ma chambre, j'ai mis un tapis rouge, ... mon lit et le bureau. J'ai installé
mon ordinateur ... mon bureau, et ...., il y a mon armoire. La fenêtre de ma chambre
est juste ... de mon lit, j'aime bien regarder les étoiles avant de m'endormir !
J'ai aussi mis un canapé-lit ... ma fenêtre, c'est pratique quand les copains veulent
rester dormir à la maison !
Tanguy

➕ Les prépositions de lieu (2)

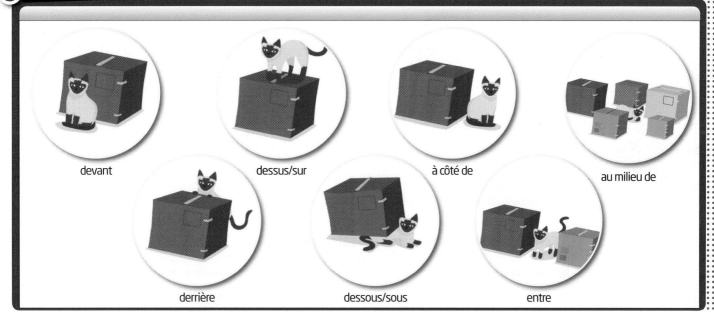

devant — dessus/sur — à côté de — au milieu de

derrière — dessous/sous — entre

ÉCrit

 **Lire**

LUCAS
En ligne

Salut ! Moi, j'aime lire des romans d'aventure. Je lis en moyenne un livre par semaine. Les sorties en discothèque ne m'intéressent pas. Je préfère les musées et les expos photos. Je vais au moins deux fois par mois au cinéma. Cette année, je suis allé voir 50 films ! J'adore les vieux films français !

SOPHIE
En ligne

Bonjour :). Comme toutes les filles, j'adore le shopping. Avec mes copines, on va au moins deux fois par semaine au centre-ville. J'ai un blog où je raconte mes aventures tous les soirs pendant une heure. Tous les vendredis soirs cette année, on est allé au restaurant avec les copains avant d'aller danser en boîte !

PAUL
En ligne

Moi, c'est Paul ! Je suis toujours sur un terrain de sport. Je pratique tout type de sports au moins 2 heures par jour. Avec les copains, cet été, on a fait du surf pendant une semaine et on est allé 2 ou 3 fois au parc d'attractions. Avec ma copine, on est allé voir toutes les expos d'art contemporain au musée d'Art moderne. J'ai adoré !

1 **Lisez les témoignages de trois jeunes Français postés sur le site et répondez aux questions.**

a Que fait Lucas comme activités ?
b Combien de films est-il allé voir cette année ?
c Pourquoi ?
d Quelle activité sportive exerce-t-il ?

e Que fait Sophie deux fois par semaine ?
f Que fait-elle tous les vendredis soirs ?
g Paul, fait-il les mêmes activités que Lucas et Sophie ?
h Que fait-il plus particulièrement ? Et quand ?

2 **Que pensez-vous de Lucas, Sophie ou Paul ? À qui ressemblez-vous le plus ?**

➕ **Dico SMS**

Quand on écrit un texto, on utilise souvent des abréviations :

C : c'est	Keske : qu'est-ce que
L : elle	vi1 : vient/viens
T : t'es	rdv : rendez-vous
1 : un	OQP : occupé
b1 : bien	bcp : beaucoup
@2m1 : à demain	Dzolé : désolé
6né : cinéma	1viT : invité
KoncR : concert	Ya : il y a
DanC : danser	

3 **Écrivez des SMS en français dans votre cahier !**

a Qu'est-ce que ça veut dire ?

• Rdv à 3h dvant le 6né @2m1
• Je t1vit 2m1 à 1 koncR. T ok ?

b Comment l'écrire en format texto ?

• Qu'est-ce que tu fais demain après-midi ?
• Désolée, pas de concert pour moi. Je suis occupée.

 # Écrire

1 **Vous organisez une soirée chez vous pour fêter les vacances. Envoyez un courriel à vos amis pour les inviter.** Aidez-vous des boîtes à outils, pages 46 et 47.

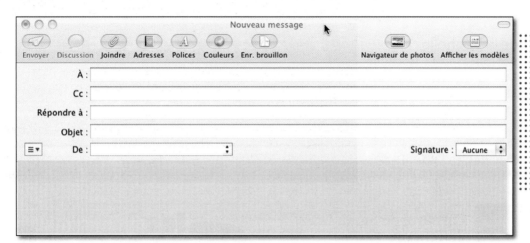

2 **Vous recevez un texto. Vous acceptez l'invitation en répondant en langage texto.**

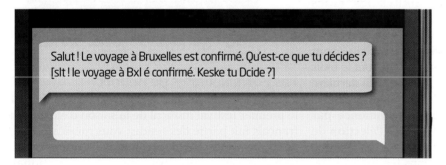

Salut ! Le voyage à Bruxelles est confirmé. Qu'est-ce que tu décides ?
[slt ! le voyage à Bxl é confirmé. Keske tu Dcide ?]

3 **Vous recevez un nouveau texto. Vous refusez l'invitation et expliquez pourquoi.**

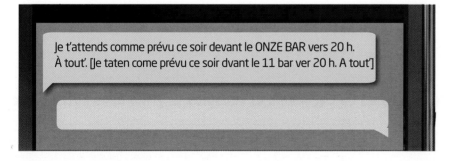

Je t'attends comme prévu ce soir devant le ONZE BAR vers 20 h.
À tout'. [Je taten come prévu ce soir dvant le 11 bar ver 20 h. A tout']

4 **Comme Lucas, Sophie et Paul, postez sur le site votre témoignage sur vos sorties ou activités de l'année dernière.**

Nom Prénom	Photo	L'année dernière, ...

Venez faire la fête

Les Francofolies de la Rochelle

Le festival des Francofolies de la Rochelle en France fait connaître et diffuse la chanson et les musiques actuelles, surtout d'expression française et francophone, auprès d'un large public au début du mois de juillet. Comme le festival a beaucoup de succès, les Francofolies sont exportées dès 1989 au Québec, à Montréal. Puis, en 1994, les Francofolies ont commencé à Spa, en Belgique.

Carnaval de Santa Cruz de Tenerife

Le carnaval est fêté dans tous les villages et dans toutes les villes de l'île, mais c'est à Santa Cruz de Tenerife que de nombreuses activités sont organisées. Il dure tout le mois de mars, mais c'est la dernière semaine qu'il y a le plus d'activités. Le carnaval commence par un défilé, après l'élection de la reine du carnaval. Il a lieu surtout dans les rues de l'île espagnole.

29 · 30 juin · 1er juillet 2012

Les Eurockéennes de Belfort

Créé en 1989, le festival des Eurockéennes de Belfort est le premier festival musical de la saison d'été. L'événement français fait partie des rendez-vous musicaux renommés en Europe. C'est pendant 3 jours et 3 nuits, début juillet, une programmation française et internationale pop, rock, reggae, hip-hop et électro riche en découvertes sur une presqu'île enchantée.

---

1 **Lisez les descriptions des festivals ou carnavals et recopiez la grille dans votre cahier pour la compléter.**

	Pays d'Europe	Date	Genres de musique
Les Francofolies de la Rochelle			
Carnaval de Santa Cruz de Tenerife			
Les Eurockéennes de Belfort			
Festival de Sziget			
Carnaval de Notting Hill			
Francomanias			

2 **Organisez un parcours de festival en festival par ordre chronologique.**

Le premier festival de l'année est le Carnaval de Santa Cruz de Tenerife en mars, ensuite...

en Europe !

Festival de Sziget

Bienvenue à Sziget, qui fait partie du top 10 des meilleurs festivals de musique européens. 500 concerts, 400 000 visiteurs et chaque année, début août, il y a toujours beaucoup d'ambiance pendant ces 8 jours. La communauté des festivaliers francophones est également à l'honneur, avec un camping francophone sur le site du festival hongrois, comme point de rendez-vous, et un restaurant français.

Francomanias

Le festival des Francomanias de Bulle est le plus grand événement suisse romand consacré à la chanson francophone. Il se déroule tous les deux ans au mois de mai, pendant 5 jours. Créé en 1990, les Francomanias est un festival incontournable de la chanson francophone. Le programme donne lieu à des moments aussi riches et généreux qu'intimes.

Carnaval de Notting Hill

Ce festival a été organisé par la communauté caribéenne pour la première fois en 1966. Il est aujourd'hui la plus grande célébration festivalière en Europe. Chaque année, pendant le dernier week-end d'août, les rues de la capitale de Grande-Bretagne deviennent vivantes, avec les odeurs des plats venus des Caraïbes, les chants traditionnels et contemporains, les bandes musicales de soca et de calypso et les musiques comme le reggae...

À vous !

1 Vous allez en Europe pendant l'été. À quels festivals pensez-vous aller ? Expliquez pourquoi. Discutez à deux.

2 Et vous ? Avez-vous déjà participé à des festivals ou carnavals ? Avez-vous passé un bon moment ? Où avez-vous dormi ? Avez-vous fait des photos, des vidéos ? Avec qui êtes-vous parti(e) ? Discutez à deux.

3 Cherchez sur Internet un festival où vous souhaitez aller. Rédigez une petite présentation.

Test

1 **Regardez le dessin. Écrivez des phrases pour expliquer où se trouvent les objets.** ...... /4

sous - au milieu de - à côté de - devant

a Le téléphone est ... la table.
b L'ordinateur est ... de la table.
c Les chaussures sont ... du téléphone.
d Le stylo est ... l'ordinateur.

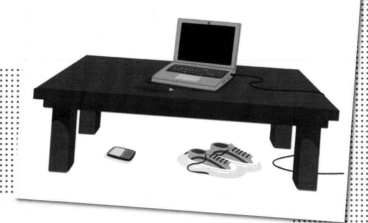

2 **Complétez ces questions avec « qu'est-ce que » ou « est-ce que ».** ...... /4

a - ... tu fais samedi ? - Je pars chez mes grands-parents.
b - ... vous avez choisi ? - Non, nous ne savons pas.
c - ... tu vas à l'expo photo ? - Oui, j'adore la photo.
d - ... tu as pris le CD que je t'ai prêté ? - Non, j'ai oublié !

3 **Retrouvez l'ordre des phrases.** ...... /4

a pas / venir. / Je / envie de / n'ai
b Tu / aujourd'hui ? / peux / venir / ne / pas /
c cinéma / te / Ça / d'aller / moi ? / au / avec / dit
d samedi. / occupé / je / Désolé, / suis / déjà

4 **Conjuguez les verbes au passé composé.** ...... /4

a Les jeunes ... (rentrer) tard du cinéma.
b Nous ... (aller) à la fête de Simon samedi.
c Victor ... (rester) au concert jusqu'à la fin.
d Elles ... (se promener) au centre commercial toute la journée.

...... /20

5 **Transformez ces phrases à l'impératif.** ...... /4

a Tu me dis ce qui se passe. ▶ ...
b Vous venez au concert avec moi. ▶ ...
c Nous allons vite au match. ▶ ...
d Tu m'appelles quand tu arrives. ▶ ...

Corrigez en classe et comptez votre score.
Vous avez plus de 20 points ?
Bravo !
Vous avez autour de 15 points ?
Pas mal.
Vous avez moins de 15 points ?
Révisez l'unité et mémorisez !

Génération conso'

Exprimer un vœu, un souhait

Exprimer les comparaisons (avantages, désavantages)

Parler du shopping et de la mode

Faire des achats dans un magasin

Compréhension

Au centre commercial

2 Répondez aux questions.

ⓐ Antoine et Sarah sont
- cousins.
- copains.
- frère et sœur.

ⓑ Antoine demande à Sarah de l'aider à trouver …
- un cadeau
- des vêtements … pour le mariage de sa cousine.
- des chaussures

ⓒ Sarah accepte parce qu'elle
- n'a rien à faire.
- adore faire les magasins.
- a promis d'aider Antoine.

ⓓ Que pense Antoine des articles du magasin ?
- C'est trop cher.
- C'est à la mode.
- Ce n'est pas assez jeune.

ⓔ Quelle tenue va essayer Antoine ?

Antoine : Salut Sarah ! C'est sympa de m'aider à choisir une tenue pour le mariage de ma cousine. Tu es vraiment une super copine !

Sarah : Pas de problème ! J'adore faire du shopping !

Antoine : Moi, au contraire, je n'aime pas trop faire les magasins, je suis un peu perdu... J'ai commencé à regarder, mais rien ne me plaît ! Tout est trop démodé, comme les vêtements de mon grand-père !

Sarah : C'est sûr que pour un mariage, tu ne vas pas mettre un jean et un t-shirt branchés ! Il faut oublier la mode !

Antoine : Pourtant, je serais plus à l'aise avec un jean !

Sarah : Bon, on va demander de l'aide à une vendeuse. Madame, excusez-moi !

Vendeuse : Bonjour. Je peux vous aider ?

Sarah : Oui, s'il vous plaît. Mon ami cherche une tenue pour un mariage.

Vendeuse : Les costumes sont ici. Ce modèle gris, ça vous plaît ?

Antoine : Non, pas vraiment. Je voudrais quelque chose de plus jeune.

Vendeuse : Celui-ci est assez ajusté, il existe en bleu ou noir.

Antoine : En noir, c'est pas mal, non ?

Sarah : Pour un mariage, tu ne préfères pas quelque chose de plus joyeux ?

Antoine : Bon, d'accord. Je vais essayer la veste et le pantalon bleus en 40, s'il vous plaît.

Vendeuse : Et pour la chemise ?

Antoine : J'aimerais bien quelque chose de coloré.

Vendeuse : Celle-ci par exemple ?

Antoine : Voilà, c'est très bien.

Sarah : Euh, ce n'est pas non plus un défilé de mode, Antoine. Tu dois rester un peu classique ! Regarde celle-là, la chemise bleue claire. Elle ne te plaît pas ? En plus, elle est moins chère.

Antoine : Oui, c'est vrai, elle est pas mal, je vais l'essayer.

Vendeuse : Je vous montre les cravates ?

Antoine : Ah, non pas de cravate ! Un costume et une chemise, c'est déjà très classe, non ?

Sarah : C'est sûr ! Ça va te changer du lycée ! Je ne t'ai jamais vu aussi bien habillé !

① ② ③

➕ Les mots pour…

faire les magasins

- La mode, un défilé de mode
- Un modèle, une tenue = des vêtements
- Faire du shopping
- Plaire, être à l'aise, (bien) s'habiller
- Un costume = un pantalon + une veste, une chemise, une cravate, un jean, un t-shirt
- Démodé(e) ≠ branché(e), classe, classique, coloré(e), ajusté(e)

 **À l'écrit**

Les looks de la semaine

Karim

Définissez votre style :
J'aime être à l'aise, cool.

Si votre style était un film ?
« *Scarface* », de Brian de Palma. J'aime les différents looks d'Al Pacino dans le film (chemise hawaïenne, costume, vestes à larges rayures).

Votre accessoire de mode préféré ?
Mon casque. La musique, pour moi, c'est la vie.

Décrivez votre tenue :
J'ai mis mes baskets Vans préférées, mon pantalon large Tommy Hilfiger et ma ceinture H&M. Je porte le t-shirt et le sac à dos que j'ai achetés pendant mes dernières vacances en Espagne. J'ai aussi une montre Fossil.

Votre gadget préféré ?
Mon lecteur MP3.

Julie

Définissez votre style :
Je suis une héroïne japonaise de manga.

Si votre style était un film ?
« *Le Cinquième Élément* », de Luc Besson parce que j'adore les costumes de Jean-Paul Gaultier.

Votre accessoire de mode préféré ?
Des lunettes, je trouve que ça fait élégant.

Décrivez votre tenue :
Je porte une robe Bodyline avec un pull Zara, des collants et des chaussettes Dim, des bottes André, une ceinture Jennyfer, une écharpe. J'ai un sac en forme de cœur H&M et des lunettes Mikita.

Votre gadget préféré ?
Mon appareil photo.

Sophia

Définissez votre style :
Excentrique.

Si votre style était un film ?
« *Recherche Susan désespérément* », avec Madonna. J'adore son look un peu punk dans ce film.

Votre accessoire de mode préféré ?
Les ceintures. J'en porte tout le temps, avec tout.

Décrivez votre tenue :
Je suis habillée avec une jupe Promod, un tee-shirt Camaïeu, un gilet Tandem, une ceinture achetée au marché et des chaussures Doc Marten's achetées à Londres.

Votre gadget préféré ?
Mon ordinateur portable.

---

1 **Comment est le style de Karim ?**
   (a) classique   **(b)** branché   **(c)** à l'aise

2 **Qui a un style asiatique ?**

3 **Pourquoi Karim aime-t-il le film « Scarface » ?**

4 **Associez les accessoires aux bons prénoms.**
   ① Karim   **②** Julie   **③** Sophie

  (a)   **(b)**   **(c)**

5 **Quel type de chaussures porte Sophia ?**

6 **Quel look préférez-vous ? Pourquoi ?**

7 **Relevez tous les mots correspondant à des vêtements. Classez-les.**
  (a) haut   **(b)** bas   **(c)** haut + bas
  Ex. : Un t-shirt   Ex. : Un pantalon   Ex. : Une robe

8 **Relevez tous les mots correspondant à des accessoires.**

+ Les mots pour...

parler de la mode

- Porter, mettre
- Un look = un style
- Une robe, une jupe, un pull, un gilet, des chaussettes, des collants, des chaussures, des bottes
- Un accessoire de mode : une montre, un sac, une ceinture, des lunettes, une écharpe
- Des rayures
- Excentrique, punk, à l'aise, large

parler des gadgets

- Un casque
- Un lecteur MP3
- Un appareil photo
- Un ordinateur portable

Vocabulaire

1 **Retrouvez le nom de chaque vêtement et accessoire.**

(a) …	(c) …	(e) …	(g) …
(b) …	(d) …	(f) …	(h) …

2 **Décrivez le style et les vêtements des 4 personnes.**

(a) Il a un style …
Il porte …

(b) Il a un style …
Il porte…

(c) Elle a un style …
Elle porte …

(d) Elle a un style …
Elle porte …

3 **Complétez les phrases avec les mots suivants.**

cravate - démodé - à l'aise - colorés - costume - branchées -
ceinture - classe

(a) Pour le mariage de son frère, Paul porte un … avec une … . Il est très … .
(b) Je préfère les vêtements larges, j'aime être … .
(c) Gaël porte toujours des vieux vêtements, il est un peu … .
(d) J'ai acheté une robe rose, jaune et verte : j'adore les vêtements … .
(e) Jane adore la mode. Elle a toujours des tenues … .
(f) Mon jean est trop grand, je dois acheter une … .

4 **Classez les mots. Attention, un mot peut aller dans plusieurs colonnes.**

un ordinateur portable - un téléphone portable - un lecteur MP3 -
un casque - un appareil photo - un jeu vidéo

Pour téléphoner	Pour écouter de la musique	Pour aller sur Internet	Pour prendre des photos ou faire des vidéos	Pour jouer

Phonétique

1 **Écoutez et trouvez le son que vous entendez.**

	« an » [ã]	« on » [õ]
1.		
2.		
3.		
4.		
5.		
6.		
7.		
8.		
9.		
10.		

2 **Écoutez et classez les mots suivants dans la bonne colonne.**
Attention, l'un des mots va dans 2 colonnes.
grand - vêtement - pantalon - pourtant – commencer – collant -
branché - demander – Londres – montre

« an » [ã]	« on » [õ]

3 **ⓐ Écoutez.**
Lorsque deux verbes se suivent, on ne doit pas faire de pause
quand on les prononce.
Ex. : Je **vais a**cheter un sac.

ⓑ Écoutez et prononcez les phrases suivantes à l'oral en faisant l'enchaînement.

① Je vais appeler.
② Tu vas aimer.
③ Il va appeler.
④ Nous allons arriver.
⑤ Vous allez écouter.
⑥ Ils vont acheter.

Prononciation de « plus »	
On n'entend pas le son [s] à la fin de « plus » quand il est utilisé dans les comparaisons, sauf si le mot qui suit commence par une voyelle.	Ex. : Mon sac est plu(s) grand. → On entend [ply]. Il est plus épais. → On entend [plyz].
On n'entend pas le son [s] à la fin de « plus » quand il est utilisé dans une phrase négative.	Ex. : Je n'en veux plu(s). → On entend [ply].
On entend le son [s] à la fin de « plus » quand il est utilisé pour indiquer une quantité supérieure.	Ex. : Je veux plus de vêtements. → On entend [plys].

4 **Écoutez et dites quelle prononciation de « plus » vous entendez.**

		[ply] plu(s)	[plys] plu<u>s</u>	[plyz] plus (z)
1.	Mon pantalon est plus élégant.			
2.	Tu veux plus d'argent ?			
3.	Il n'achète plus de vêtements.			
4.	Votre écharpe est plus belle.			
5.	Son casque est plus vieux.			
6.	Elle a un look plus excentrique.			

Grammaire

Le conditionnel présent

Annexe page 106

Il permet d'exprimer une demande polie ou un souhait.

Aimer	Avoir	Être
J'aimerais	J'aurais	Je serais
Tu aimerais	Tu aurais	Tu serais
Il/elle/on aimerait	Il/elle/on aurait	Il/elle/on serait
Nous aimerions	Nous aurions	Nous serions
Vous aimeriez	Vous auriez	Vous seriez
Ils/elles aimeraient	Ils/elles auraient	Ils/elles seraient

- ■ Pour les verbes en -er, on garde l'infinitif du verbe et on ajoute les terminaisons du conditionnel présent.
- ■ Les verbes « avoir », « être », « vouloir », « pouvoir » sont des exceptions.

1 Conjuguez les verbes au conditionnel présent.

(**a**) - Je ... (vouloir) aller à un défilé de mode.
  - Oh oui. Moi aussi, j'... (adorer).

(**b**) - ... nous (pouvoir) voir ce sac, s'il vous plaît ?
  - Oui, bien sûr. Et ... -vous (aimer) voir autre chose ?

(**c**) - Mes amis ... (souhaiter) faire du shopping à Londres pendant les vacances.
  - Et toi, ...-tu (être) intéressé pour partir avec eux ?

(**d**) - J'... (aimer) essayer un jean, s'il vous plaît.
  - Qu'est-ce que vous ... (préférer) ? Un jean classique ou ajusté ?

Le futur proche

Il permet de parler d'une action qui va se passer bientôt.

- ■ On conjugue le verbe **aller** au présent et on ajoute **l'infinitif du verbe**.

Je vais	
Tu vas	
Nous allons	
Vous allez	acheter de nouveaux vêtements.
Il/elle/on va	
Ils/elles vont	

2 Conjuguez les verbes au futur proche.

Pour l'anniversaire de Fred, ...

(**a**) Antoine ... (acheter) un costume.
(**b**) Julie ... (porter) une robe.

(**c**) Karim et toi, vous ... (apporter) un appareil photo.
(**d**) Moi, je ... (mettre) mes nouvelles bottes.

Plaire

Le verbe « plaire » se construit avec un pronom personnel.
Ex. Le sac (singulier) me plaît.   Les baskets (pluriel) lui plaisent.

Annexe page 106

3 Transformez les phrases suivantes en utilisant le verbe « plaire ».

Ex. : J'aime tes nouvelles chaussures. ⇨ Tes nouvelles chaussures **me plaisent**.

(**a**) Il adore ce pull. ⇨ ...
(**b**) Nous aimons ton nouveau costume. ⇨ ...
(**c**) Tu aimes ces bottes ? ⇨ ...
(**d**) Vous aimez ce magasin ? ⇨ ...
(**e**) Elles adorent mon look. ⇨ ...

Les pronoms démonstratifs

Ils servent à montrer un objet : **celui, celle, ceux, celles**.

■ On peut ajouter « -ci » ou « -là » après le pronom démonstratif pour indiquer
précisément de quoi on parle : celui-ci, celle-là, ceux-ci, celles-là.

Ex. : - Ce costume vous plaît ?
    - Celui-ci est un peu ajusté, non ?

Ex. : - Tu vois ces chaussures ?
    - Quoi, celles qui sont dans dans la vitrine ?

 À quoi correspond le pronom démonstratif ? Donnez la bonne réponse.

Ex. : Pourriez-vous me donner <u>celui-là</u>, s'il vous plaît ? (**le pull** ; ~~la veste~~ ; ~~les pulls~~)

(a) Je voudrais <u>celle</u> qui est devant, s'il vous plaît. (les chaussettes ; le pantalon ; la robe)

(b) Combien coûte <u>ceux-ci</u> ? (la jupe ; les collants ; les chaussures)

(c) J'aimerais <u>celles-là</u>, s'il vous plaît. (les bottes ; les accessoires ; la montre)

(d) Quel est le prix de <u>celui-ci</u> ? (le sac ; la ceinture ; la veste)

(e) Je souhaiterais essayer <u>celles</u> à 60 €, s'il vous plaît. (les chaussures ; le gilet ; la chemise)

L'imparfait de description

 Annexe page 106

■ L'imparfait du verbe être (il/elle **était**, ils/elles **étaient**) permet de faire des descriptions au passé.

Ex. : Le pantalon était trop cher. Les baskets étaient trop petites.

 Regardez les images et faites une phrase avec l'imparfait.

Ex. : Il n'a pas acheté le tee-shirt parce qu'il **était** trop petit.

Le comparatif

Avec un adjectif (*cher, grand, gros*, etc.), on utilise :	Avec un nom, on utilise :
• plus ... que (supérieur +)	• plus de ... que (supérieur +)
• moins ... que (inférieur -)	• moins de ... que (inférieur -)
• aussi ... que (égal =)	• autant de ... que (égal =)
Ex. : Le lecteur 1 est plus cher que le lecteur 2.	Ex. : Le lecteur 1 a plus de mémoire que le lecteur 2.
= Le lecteur 2 est moins cher que le lecteur 1.	= Le lecteur 2 a moins de mémoire que le lecteur 1.

■ Adjectif irrégulier : bon/bonne => **meilleur/meilleure**

 **Comparez les lecteurs MP3. Utilisez les adjectifs : *cher, grand et lourd*.**

① Prix : 79,90 €
Mémoire interne :
8 giga
Poids en grammes :
63 g

② Prix : 59 €
Mémoire interne :
6 giga
Poids en grammes :
50 g

③ Prix : 44,90 €
Mémoire interne :
4 giga
Poids en grammes :
70 g

④ Prix : 34,90 €
Mémoire interne :
4 Giga
Poids en grammes :
18 g

(a) Prix - lecteurs 1 et 3   **(b)** Mémoire - lecteurs 3 et 4   **(c)** Poids - lecteurs 2 et 3   **(d)** Prix - lecteurs 2 et 3   **(e)** Mémoire - lecteurs 1 et 3   **(f)** Poids - lecteurs 1 et 4

Oral

 Écouter

Micro-trottoir : les jeunes et la mode

 Écoutez le micro-trottoir.

Qui est Alexandre ? Où est-il ?

Que fait-il ?

Recopiez le tableau dans votre cahier et mettez une croix dans la bonne colonne.

	s'intéresse à la mode.	ne s'intéresse pas à la mode.
Marion		
Dalia		
Benoît		
Clara		
Grégory		

 Marion fait elle-même ...
ⓐ ses robes.
ⓑ son blog de mode.
ⓒ ses accessoires.

 Dalia pense que le plus important, c'est ...
ⓐ d'être original.
ⓑ de ne pas changer de style.
ⓒ d'acheter les magazines de mode.

Benoît aime les vêtements ...
ⓐ discrets.
ⓑ voyants.
ⓒ originaux.

 De quelle façon s'habille Benoît ?

 Qu'est-ce qui est plus important que la mode pour Clara ?
ⓐ les amis
ⓑ le travail
ⓒ les loisirs

De quelle façon s'habille Clara ?

Quel type de vêtements achète Grégory ? Pourquoi ?

➕ Les mots pour ...

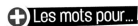

parler de la mode

- Être à la mode
- La dernière tendance
- Les vêtements de marque, de bonne qualité
- Un short, un jogging
- Des chaussures à talons hauts
- Un chapeau
- Une bague, des boucles d'oreille
- Du maquillage

Parler

1 **À deux, répondez aux questions suivantes à l'oral, chacun votre tour.**
Aidez-vous des boîtes à outils, pages 60 et 61.

(a) Comment vous habillez-vous et quel est votre style ?

(b) Quelle tenue mettez-vous pour un mariage ?

(c) Achetez-vous des marques ? Est-ce important pour vous ? Pourquoi ?

(d) Si vous gagnez un bon d'achat de 100 €, qu'est-ce que vous achetez ?

2 **Jeu de rôle : dans un magasin.**

(a) Choisissez le type de magasin : un magasin de vêtements,
de musique, de téléphones portables.

(b) Inventez un dialogue dans un magasin.
Aidez-vous des boîtes à outils, pages 60 et 61
et des pages Grammaire.

(c) L'un joue le vendeur, l'autre l'acheteur.
L'acheteur demande des conseils au vendeur.

3 **Le jeu des différences.**
Comparez les deux images à l'oral. Qu'est-ce qui est identique ?
Qu'est-ce qui est différent ?

 **Lire**

Ados : 600 millions d'euros par an dépensés sur Internet !

Les adolescents achètent des livres, des DVD ou des vêtements sur Internet et jouent en ligne. Cela peut coûter très cher à leurs parents...

Selon une étude, les ados de 14 à 17 ans dépensent chaque mois 34 euros sur Internet. Environ un adolescent sur deux achète en ligne, et un sur cinq au moins une fois par mois. Cela représente un total de 600 millions d'euros dépensés par an pour 1,5 million d'ados en France. Souvent, ils ont l'accord de leurs parents, qui leur prêtent leur carte bancaire dans 80 % des cas. Ce qu'ils achètent surtout : des livres et des DVD (72 %), des vêtements et des chaussures (57 %), des accessoires de mode et des bijoux (40 %), des jeux vidéo (38 %), de la musique (33 %) ou encore des appareils électroniques. Seuls 6 % d'entre eux achètent sur Internet des produits que leurs parents ne veulent pas leur acheter. 8 % utilisent leur propre carte bancaire, et 11 % celle d'une sœur, d'un grand-parent, ou d'une autre personne de leur famille.

Peu au courant des dangers

Beaucoup d'adolescents ne connaissent pas les règles de sécurité d'Internet : un adolescent sur dix ne sait pas vérifier si un site est sûr et sécurisé ! Et beaucoup de parents ont des surprises quand ils reçoivent leur relevé bancaire* : ils découvrent que leurs enfants ont dépensé de l'argent sur Internet sans leur accord.

Les numéros de téléphone trop chers en ligne

L'association e-enfance informe surtout sur les dangers des jeux en ligne. Les ados achètent par téléphone, à des numéros qui coûtent très chers, des « pouvoirs » pour avancer dans le jeu  en ligne. L'association reçoit souvent des appels de parents qui ont payé très cher des factures liées à des jeux comme Dofus.

relevé bancaire : document envoyé par la banque avec la liste de toutes les dépenses.

1 **Combien dépensent chaque mois les adolescents sur Internet ?**

2 **Souvent, leurs parents sont d'accord pour ces achats.** • Vrai • Faux
Trouvez la phrase du texte qui vous permet de répondre.

3 **Qu'est-ce que les adolescents achètent le plus sur Internet ?**

4 **Retrouvez les pourcentages.**
ⓐ ... % des adolescents paient avec leur propre carte bancaire.
ⓑ ... % des adolescents paient avec la carte bancaire de leurs parents.
ⓒ ... % des adolescents paient avec la carte bancaire d'une autre personne de leur famille.

5 **Quelle « surprise » ont parfois les parents des adolescents qui achètent sur Internet ?**
ⓐ Leurs enfants ont acheté de mauvais produits.
ⓑ Leurs enfants ont dépensé beaucoup d'argent.
ⓒ Leurs enfants ont visité des sites interdits aux moins de 18 ans.

6 **Quel est le danger des jeux en ligne sur Internet ?**

⊕ Les mots pour...

parler d'achat

- Sécurisé(e)
- Le danger
- Coûter cher
- Dépenser
- Les bijoux
- Les appareils électroniques
- Les jeux en ligne

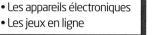

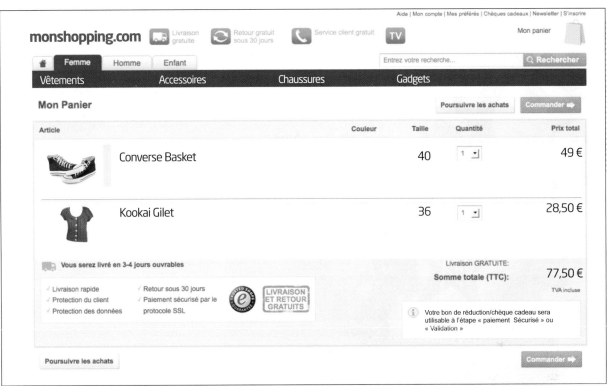

Écrire

1 Votre liste de course idéale.
Vous avez gagné à un jeu sur Internet. Vous pouvez choisir 3 articles au choix sur le site Internet :
1 vêtement, 1 accessoire et 1 gadget. Choisissez-les et décrivez-les. Aidez-vous du modèle ci-dessous et
des boîtes à outils, pages 60 et 61.

2 Défilé de mode.
Vous êtes allé(e) à un défilé de mode. Vous écrivez un petit article sur le site
Internet d'un magazine de mode pour raconter ce que vous avez vu.

Pour vous aider !

1. Dites quand et où était le défilé.
2. Dites avec qui vous étiez.
3. Décrivez les différents vêtements que vous avez vus.
4. Dites si vous avez aimé ou non et pourquoi.

Ci**V**ilisation

Campagnes de pub

① 87.9 FM

Virgin RADIO
UN MAXX DE TUBES

SOIS BELLE ET NE TE TAIS PAS SUR VIRGIN RADIO
KATY PERRY

② AIRFRANCE / FAIRE DU CIEL LE PLUS BEL ENDROIT DE LA TERRE

1 **Observez les publicités. Recopiez le tableau dans votre cahier et complétez-le.**

	Publicité 1	Publicité 2
Nom de la marque		
Produit		
Slogan*		
Description (personnages, vêtements, couleurs, etc.)		

* un slogan : une phrase pour attirer l'attention de l'acheteur

2 **Quelle publicité préférez-vous ? Pourquoi ?**

À vous !

1 **Présenter une publicité**
  ⓐ Choisissez une publicité que vous aimez bien.
  ⓑ Présentez-la à l'oral à la classe.
  ⓒ Expliquez pourquoi vous avez choisi cette publicité.

2 **Créer une publicité**
Par groupes de 3 ou 4, créez une publicité pour un magazine :

  ⓐ Choisissez le produit.
  ⓑ Inventez le nom du produit.
  ⓒ Créez un logo.
  ⓓ Trouvez un slogan.
  ⓔ Créez votre publicité et présentez-la à la classe.

Le film d'animation *Logorama* : la publicité est partout !

1 🎧 **Écoutez le document sur le film d'animation *Logorama*.**

Logorama est un court-métrage[1] français d'animation de 16 minutes, réalisé par 3 Français : François Alaux, Hervé de Crécy et Ludovic Houplain. *Logorama* a gagné de nombreuses récompenses[2], comme l'Oscar et le César du meilleur court-métrage d'animation 2010. Le film se passe à Los Angeles, aux États-Unis. Particularité du film : tous les personnages et le décor sont représentés par des logos[3] très connus.

L'histoire est simple : deux policiers, représentés par le personnage « Bibendum » de la marque Michelin, poursuivent un méchant gangster représenté par le clown Ronald McDonald, symbole des restaurants McDonald's.

Logorama a demandé quatre ans de travail. Les réalisateurs ont choisi environ 3 000 logos pour le film. Ils n'ont pas demandé l'autorisation aux marques parce qu'ils savaient que certaines marques ne voudraient pas qu'ils utilisent leur logo. Mais comme les logos sont partout, et qu'ils peuvent représenter des personnages, des animaux, des véhicules, des végétaux, etc., ils les ont utilisés quand même, sans rien demander à personne.

Le film est un peu une critique[4] de la société de consommation. Dans notre monde moderne, tout est réglementé, protégé par des lois, et ils voulaient montrer qu'il est important de parler, de s'exprimer librement.

Ce qu'on veut avec *Logorama*, c'est amuser et faire réfléchir en même temps.

1 *un court-métrage : un film court (en général, moins d'une heure)*
2 *une récompense : un prix*
3 *un logo : un symbole visuel qui représente une marque*
4 *une critique : une opinion négative*

2 **Répondez aux questions :**

(a) *Logorama* est un film...
- anglais.
- français.
- américain.

(b) Combien de temps dure le film ?

(c) *Logorama* a eu beaucoup de succès ?
- Vrai
- Faux

(d) Dans quelle ville se passe l'histoire du film ?
- Paris
- New York
- Los Angeles

(e) Les policiers du film sont représentés par le personnage...
- de Michelin.
- de Pringle's.
- de McDonald's.

(f) Pourquoi les réalisateurs n'ont-ils pas demandé l'autorisation d'utiliser les logos ?

(g) Quel est le message du film ?

Test

  Complétez avec les mots manquants. ...... /4

ajustés - lunettes - excentrique - mode

(a) Je ne vois pas bien, j'ai encore oublié mes ... !
(b) Ce pull est trop large. Je préfère les vêtements ...
(c) J'adore la ..., je lis tous les magazines !
(d) Tu as vu ses cheveux bleus ? Il a vraiment un look ... !

Complétez le dialogue avec : celui - celle - ceux - celles. ...... /4

Élise : J'aimerais voir les bottes dans la vitrine, s'il vous plaît.
Vendeuse : ...-ci ?
Élise : Non, à côté. Vous pouvez me montrer le sac aussi ?
Vendeuse : ...-ci ?
Élise : Oui. Ah, et les collants là.
Vendeuse : ...-ci ?
Élise : Oui. Merci. Et combien coûte la ceinture ?
Vendeuse : ...-là ?
Élise : Oui.
Vendeuse : 20 euros.

Faites des phrases pour comparer les objets suivants. ...... /4
Utilisez les adjectifs : large - moderne - élégant - cher.

(a)   (b)   (c)   (d)

50 €
90 €

 Complétez les phrases avec le verbe « être » à l'imparfait. ...... /4

(a) Elle n'a pas mis sa robe, elle ... trop petite.
(b) Mes vêtements sont démodés ! C'est dommage, ils ... tellement confortables.
(c) Tu as vu Antoine au mariage de sa cousine ? Il ... très élégant !
(d) -*Nathalie* : Tu as acheté les boucles d'oreilles rouges ?
   - *Sandie* : Non, elles ... trop chères.

...... /20

 Conjuguez les verbes au futur proche ou au conditionnel. ...... /4

(a) Bonjour, Monsieur. Je ... (acheter) un sac, s'il vous plaît.
(b) Je ... (acheter) cette écharpe, je l'aime beaucoup. Tu m'attends ?
(c) ....-vous (pouvoir) me montrer les montres dans la vitrine ?
(d) Madame, vous ... (aimer) des chaussures pour aller avec votre robe ?

**Corrigez en classe
et comptez votre score.**
Vous avez plus de 20 points ?
Bravo !
Vous avez autour de 15 points ?
Pas mal.
Vous avez moins de 15 points ?
Révisez l'unité et mémorisez !

En forme ?

Décrire ses intérêts

Donner et recevoir des conseils

Exprimer son opinion

Expliquer comment rester en forme

Décrire ses habitudes

Compréhension

Un séjour à la montagne

Des amis se retrouvent au café après le lycée.

▶ **Théo** : Vous avez vu le nouveau prof de sport ? Il a l'air sympa.

Pablo : Oui, c'est vrai. Pour les vacances de février, il propose un camp de sport d'une semaine en Suisse, à côté de Neufchâtel. Vous pensez aller là-bas ?

▶ **Claire** : Moi, oui. J'en ai parlé à ma mère. Elle est d'accord. Je suis super contente.

Théo : C'est super ! En plus, je viens de commencer le ski de piste. Je sais que tu skies, toi, Pablo.

▶ **Pablo** : Oui, assez bien. J'adore ce sport. J'aime aller vite, sauter, slalomer. Et j'ai une bonne technique. J'ai fait du ski pendant quatre ans ; maintenant, je fais du snow-board. Et toi Camille ?

Camille : Moi, je déteste la neige et le froid. Le ski ou le snow-board, quelle horreur ! Même le ski de fond, je ne veux pas en entendre parler.

▶ **Claire** : Ça veut dire que tu ne viens pas, Camille ?

Camille : Si, bien sûr. Vous n'allez pas partir sans moi. Mais je vais faire d'autres sports.

▶ **Théo** : Tu ne skies pas, tu détestes la neige, tu n'aimes pas le froid. J'imagine que tu ne veux pas faire de patin à glace. Mais qu'est-ce que tu vas faire pendant une semaine à la montagne, en hiver ? Moi, je suis plein d'énergie et je ne vais pas rester au lit toute la semaine.

Camille : Moi non plus. Je suis en pleine forme. Et le patin, j'adore ! Et on n'est pas obligé de pratiquer ce sport à l'extérieur. Il y a une patinoire là où le prof nous emmène. Je vais prendre aussi des cours de tennis et faire de la natation. Je ne vais pas m'ennuyer et je ne vais pas mourir de froid.

▶ **Théo** : Et toi Claire, le ski, tu aimes ?

Claire : Oui, mais la vitesse me fait un peu peur. Je préfère le ski de fond, la randonnée ou les raquettes. Ce sont des sports moins risqués mais, aussi techniques que le ski de piste. Et comme je suis un peu fatiguée, ces sports sont parfaits pour moi.

1 Écoutez le dialogue.

2 Que propose le professeur de sport ?

3 Comment se sentent les amis ? Est-ce qu'ils sont en forme ? Justifiez votre réponse.

Théo		Camille	
Oui	Non	Oui	Non
Justification : …		Justification : …	
Pablo		Claire	
Oui	Non	Oui	Non
Justification : …		Justification : …	

4 Qu'est-ce que Camille n'aime pas ? Citez 3 exemples
ⓐ …
ⓑ …
ⓒ …

5 À quel âge Pablo a-t-il commencé le ski ?

ⓐ À 4 ans.
ⓑ À 14 ans.
ⓒ On ne sait pas.

6 Qu'est-ce que Pablo aime dans le ski ?
ⓐ …
ⓑ …
ⓒ …

7 Qu'est-ce que les amis vont peut-être faire comme sport pendant cette semaine ?

	Sports pratiqués par les amis (entre 1 à 3 réponses possibles)		
Théo			
Camille			
Pablo			
Claire			

➕ Les mots pour…

parler des types de sport

• Le ski de piste	• La natation
• Le snow-board	• La randonnée
• Le ski de fond	• Les raquettes
• Le patin à glace	• Une patinoire
• Le tennis	• Skier, sauter, slalomer

 **À l'écrit**

Manger : les bonnes habitudes

Pour rester en forme, il faut manger correctement et sainement trois fois par jour.

Le petit-déjeuner : un repas de roi !

C'est le premier repas de la journée : il donne des forces après une nuit sans manger.
Il se compose idéalement :

De pain ou de céréales

Ne choisissez pas des céréales avec trop de sucre.

D'un fruit

Une pomme, une banane, une poire ou un jus de fruits 100 % pur jus : l'essentiel, c'est de varier.

D'un produit laitier

Un bol de lait avec les céréales, un yaourt ou un yaourt à boire. Ne prenez pas les trois !

D'une boisson

Thé ou café, c'est comme vous voulez. Mais ne sucrez pas trop !

Que prendre au petit-déjeuner si on n'a pas faim ?

Vous pouvez emporter au lycée : des biscuits secs, un yaourt à boire ou une pomme. Vous êtes pressé le matin ? Mangez une barre de céréales, une banane et buvez une tasse de thé ou de café.

Prendre réellement son temps au déjeuner !

À la cantine

Mangez équilibré. Composez votre entrée avec des crudités : concombre, tomates, carottes... Pour le plat principal, alternez entre viande et poisson, mais toujours avec des légumes et des pâtes ou du riz. En dessert, prenez un produit laitier et un fruit.

Le fast-food ? Pas régulièrement !

Le fast-food, c'est pratique, mais ne mangez pas de menus fast-food à chaque repas. Voici quelques règles simples pour manger équilibré :

* Pour la boisson, choisissez une version light, de l'eau ou un jus de fruits.
* Remplacez, de temps en temps, le menu avec frites par une salade.
* Préférez le ketchup ou la moutarde à la mayonnaise.
* Complétez le menu avec des fruits en dessert.

Dîner tranquillement !

Vous pouvez composer un menu facilement : une soupe de légumes, un ou deux œufs à la coque avec du pain, un morceau de fromage et un fruit. Les pizzas sont pratiques, mais n'en mangez pas plus d'une fois par semaine. Il est conseillé de les accompagner d'une salade verte, de quelques rondelles de tomates et d'un fruit en dessert.

➕ Les mots pour...

dire comment rester en forme	les aliments	
• Les bonnes / mauvaises habitudes • Manger équilibré • Prendre au petit-déjeuner • Prendre son temps • Le repas (le déjeuner, le dîner)	• Les céréales (une barre de céréales) • Le sucre • Un fruit : une pomme, une banane, une poire • Un jus de fruits • Des produits laitiers : du lait, un yaourt, du fromage • De l'eau • Des biscuits secs	• Des pâtes, du riz • Des légumes, des crudités : du concombre, des tomates, des carottes, de la salade • Une soupe • De la viande • Du poisson • Un œuf à la coque • Un dessert

1 Le petit-déjeuner est le repas le plus important de la journée. Pourquoi ?

2 Selon les conseils donnés, composez votre petit-déjeuner idéal.

Pain	Céréales	Café	Eau	Jus	Viande	Fruit
Salade	Pizza	Lait	Yaourt	Poisson	Légumes	Frites

3 Selon les conseils donnés, composez votre menu équilibré au fast-food.

Hamburger	Soda	Soda light	Frites	Salade
Eau	Mayonnaise	Ketchup	Yaourt	Fruit

4 Que devez-vous respecter si vous souhaitez manger une pizza pour le dîner ?

ⓐ ...   ⓑ ...

5 Quels sont les conseils à respecter ? Vrai ou faux ?

Il faut manger 2 repas par jour.	Il ne faut pas boire de sodas.	Il ne faut pas manger régulièrement dans un fast-food.	Le matin, il est nécessaire de manger du pain et des céréales.
À midi, les pâtes et les légumes sont importants	À la cantine, mangez ce que vous voulez.	Vous êtes pressé le matin ? Emportez une barre de céréales.	Le soir, le menu idéal, c'est soupe de légumes et pizza.

Vocabulaire

1 D'après vous, est-ce une bonne habitude ou une mauvaise habitude ?

Si votre professeur vous interroge, est-ce que vous pouvez justifier vos réponses à l'oral ?

(a) Je ne prends pas de petit déjeuner.
(b) Je passe mes vacances à dormir.
(c) Je mange beaucoup le soir.
(d) Je vais au fast-food une fois par mois.

(e) Je prends un repas complet à midi.
(f) Je ne mange pas de produits laitiers.
(g) J'adore les fruits.
(h) Je mange seulement des légumes.

2 Pour rester en forme, il faut faire du sport. D'après vous, est-ce qu'il faut suivre les conseils suivants ?

Si votre professeur vous interroge, est-ce que vous pouvez justifier vos réponses quand vous avez répondu « Ça dépend » ?

	Oui	Non	Ça dépend
Skier très vite			
Passer ses vacances à dormir			
Faire du sport chaque semaine			
Faire du sport seulement en vacances			
Ne pas prendre de petit-déjeuner le matin			
Faire des sports collectifs			
Faire du sport tous les soirs			

3 Trouvez les sports qui correspondent aux accessoires.

① ② ③ ④ ⑤ ⑥

a. Randonnée   **b. Snow-board**   **c. Patin à glace**   **d. Tennis**   **e. Natation**   **f. Ski de piste**

4 Remettez le texte suivant dans l'ordre.

Au petit-déjeuner,

du riz.

Au déjeuner,

il est nécessaire de manger équilibré

il est important de prendre un jus de fruit,

Au dîner, c'est bien de manger plus léger.

des légumes et

des céréales et un produit laitier.

Par exemple, il est conseillé de prendre une soupe, des œufs, un yaourt et quelques fruits.

: une viande ou un poisson,

Unité 5 - En forme ?

Phonétique

• En français, on ne prononce jamais le « e » final.	Ex. : Il est fatigué. / Elle est fatiguée. ▶ Les deux adjectifs se prononcent de la même manière.
• Quand la lettre « e » se trouve entre deux consonnes, généralement, on ne la prononce pas.	Ex. : Samedi ▶ Ça dépend de l'accent de la personne. Dans le sud de la France, certaines personnes prononcent le « e » de « samedi».
• Quelquefois, il est difficile de ne pas prononcer la lettre « e ».	Ex. : Mercredi ▶ Il est difficile de prononcer les sons « cr » et « d » à la suite sans prononcer le « e ». En français, il n'est pas possible de prononcer 3 consonnes à la suite sans voyelle.

1 Faut-il ou non prononcer la lettre « e » ?

		Oui	Non	Ça dépend
1.	Montagne			
2.	Vacances			
3.	Maintenant			
4.	Repas			
5.	Sainement			
6.	Banane			
7.	Tomate			
8.	Facilement			
9.	Correctement			
10.	Randonnée			
11.	Petit			

2 « v », « f » ou « b » ? Écoutez et dites quel son vous entendez.

1.	[v]	[b]	[f]
2.	[v]	[b]	[f]
3.	[v]	[b]	[f]
4.	[v]	[b]	[f]
5.	[v]	[b]	[f]
6.	[v]	[b]	[f]

3 Lisez les mots suivants. Faut-il ou non prononcer les lettres soulignées ?

		Est-ce que vous prononcez la lettre soulignée ?	
1.	Vacances	❐ Oui	❐ Non
2.	Sport	❐ Oui	❐ Non
3.	Camp	❐ Oui	❐ Non
4.	Tennis	❐ Oui	❐ Non
5.	Repas	❐ Oui	❐ Non
6.	Yaourt	❐ Oui	❐ Non
7.	Dîner	❐ Oui	❐ Non
8.	Patin	❐ Oui	❐ Non
9.	Sportif	❐ Oui	❐ Non
10.	Jus	❐ Oui	❐ Non
11.	D'accord	❐ Oui	❐ Non
12.	Produit	❐ Oui	❐ Non

Grammaire

Annexe page 107

✱ L'impératif négatif

Impératif négatif	
Verbes en -er	**Verbes en -ir**
Ne mange pas.	Ne choisis pas.
Ne mangeons pas.	Ne choisissons pas.
Ne mangez pas.	Ne choisissez pas.

1 Conjuguez les verbes ci-dessous.

Ex. : **Boire** : Ne bois pas. / Ne buvez pas.

a Être   **d** Faire   **f** Aller
b Prendre   **e** Avoir   **g** Entendre
c Vouloir

Annexe page 107

✱ Les pronoms compléments

■ Ils remplacent des personnes : **le/la/l'/les** et **lui/leur**

le = 🧍	la = 🧍	l' = 🧍 ou 🧍	les = 🧍 🧍 🧍

| Ex. : Nous regardons Marie descendre la piste. ▶ | Nous la regardons descendre la piste. |
| Tu vois tes amis à la montagne. ▶ | Tu les vois. |

lui = 🧍 ou 🧍	leur = 🧍 🧍 🧍 🧍

| Ex. : Je conseille le ski à Marie. ▶ | Je lui conseille le ski. |
| Je parle à mes amis de mon cours de tennis. ▶ | Je leur parle de mon cours. |

2 Répondez aux questions. Utilisez un pronom pour remplacer la partie soulignée.

a Tu rencontres <u>tes amis</u> au club de sport ?
b Tu as parlé <u>à ta mère</u> des vacances au ski ?
c Le prof de sport a amené <u>les élèves</u> à la patinoire ?
d Claire conseille <u>à Théo</u> de faire du tennis ?
e Tu appelles souvent <u>Camille</u> ?
f Tu vois souvent <u>Théo</u> à la cantine ?

✱ Le pronom « en »

■ Il remplace la préposition **« de » + un nom** (masculin, féminin ou pluriel).

Ex. : Est-ce que tu veux <u>de la salade de fruits</u> ?

- Oui, j'en veux. Merci.
- Non, je n'en veux pas. Merci.

3 Complétez les phrases à la négative.

a Est-ce que tu sais faire <u>du ski</u> ?

▶ Oui, je sais en faire.
▶ Non, ...

b Est-ce qu'il mange <u>des fruits</u> tous les jours ?

▶ Oui, il en mange 4 tous les jours.
▶ Non, ...

c Est-ce que tu parles <u>de tes problèmes</u> ?

▶ Oui, j'en parle régulièrement.
▶ Non, ...

Répondez aux questions. Utilisez le pronom « en » pour remplacer la partie soulignée.

(a) Est-ce que tu bois de l'eau régulièrement ?

(b) Est-ce que tu manges des fruits et des légumes tous les jours ?

(c) Est-ce que tu fais de la natation ?

(d) Est-ce que tu envoies souvent des textos aux copains ?

 ## Les articles partitifs : du - de la - de l' - des

du	masculin singulier
de la	féminin singulier
de l'	féminin ou masculin singulier (devant une voyelle ou un « h » muet)
des	pluriel (féminin et/ou masculin)
de	forme négative (masculin et féminin)

■ L'article partitif est employé devant un nom pour désigner une quantité qu'on ne peut pas mesurer.
Ex. : Il boit du lait. / Il mange de la viande. / Je veux des légumes.
■ **Attention !** À la forme négative, on emploie « de ».
Ex. : Il ne boit pas de lait. / Il ne mange pas de viande. / Je ne veux pas de légumes.

 Complétez les phrases avec le bon article partitif.

(a) Est-ce qu'il a ... argent pour payer ses vacances au ski ?

(b) Pour ne pas grossir, je ne mange pas ... pain pendant les repas.

(c) Mes parents font ... sport chaque semaine.

(d) Tu veux du jus de fruits ? Non merci, je bois seulement ... eau.

(e) Est-ce que tu veux ... salade ?

 ## La formation des adverbes en « –ment »

Adjectif		Adverbe
Masculin	**Féminin**	
régulier ▶	▶ régulière ▶	▶ régulièrement

 Transformez les adjectifs en adverbe comme dans l'exemple.

Adjectif		Adverbe
Masculin	**Féminin**	
sain		
réel		
correct		
tranquille		
facile		

Le passé récent

Vous avez fini une action il y a très peu de temps ? Utilisez le passé récent.
■ Verbe **venir au présent de l'indicatif + infinitif**. Ex. : Je viens de manger.

Transformez les phrases suivantes au passé récent.

(a) J'ai dîné. ▶ ...

(b) Nous avons fini notre dessert. ▶ ...

(c) Mon amie est partie à la patinoire. ▶ ...

(d) Ils ont appris à faire du snow-board. ▶ ...

(e) Tu as skié toute la journée. ▶ ...

 Écouter

Quelles sont vos habitudes ?

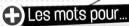 Les mots pour...

- Être bon/mauvais pour la santé
- Faire attention à ce que l'on mange
- Grossir
- Être maigre

1 Écoutez le document.

2 Quelle est l'activité préférée de Jules, de Pauline et de Théo ?

(a) Jules : ...　　　　(b) Pauline : ...　　　　(c) Théo : ...

3 Dites qui fait quoi.

	Appartient à un club.	Aime les jeux vidéo.	Aime sortir avec ses amis.
Jules			
Pauline			
Théo			

4 Qui a de mauvais résultats en classe ? Répondez par « oui », « non » ou « je ne sais pas ».

(a) Jules : ...　　　　(b) Pauline : ...　　　　(c) Théo : ...

5 D'après cette émission de radio, qui a de mauvaises habitudes ? Lesquelles ?

(a) Jules :　　• Oui　　• Non　　Laquelle ?

(b) Pauline :　　• Oui　　• Non　　Laquelle ?

(c) Théo :　　• Oui　　• Non　　Laquelle ?

6 Une personne fait attention à sa nourriture. Laquelle ?

(a) Jules : ...　　　　(b) Pauline : ...　　　　(c) Théo : ...

▶ À votre avis, pourquoi ?

7 Et vous ? À qui ressemblez-vous ? Pourquoi ?

(a) À Jules　　　(b) À Pauline　　　(c) À Théo　　　(d) À aucun des trois

▶ Je ressemble à ... parce ...

Parler

 Lisez les questions suivantes. Répondez avec votre voisin.

ⓐ Quelles sont vos pratiques sportives ?
1. Faites-vous partie d'un club ? Quel niveau avez-vous ?
2. Préférez-vous les sports collectifs ou les sports individuels ? Pourquoi ?

ⓑ Quelles sont vos habitudes alimentaires ?
1. Que mangez-vous au petit-déjeuner ? Combien de temps dure-t-il ?
2. Où prenez-vous votre déjeuner ? Avec qui ? À quelle heure ? En combien de temps ?
3. Est-ce que vous mangez souvent dans un fast-food ? Lequel ? Que mangez-vous ?

ⓒ Et que faites-vous pour votre santé de tous les jours ?
1. Est-ce que vos amis fument ? Et vous ? Est-ce une habitude chez les jeunes de votre lycée ?
2. Est-ce que vous restez longtemps devant votre ordinateur ? Combien de temps par semaine ? Quels sont les sites que vous visitez ?
3. Est-ce que vous aimez les jeux vidéo ? Est-ce que vous passez beaucoup de temps à jouer ?

2 Vous voulez aller aux sports d'hiver avec vos amis. Vos parents pensent que c'est trop dangereux et trop cher. Vous les tranquillisez. Votre voisin joue le rôle de votre père ou de votre mère.

Préparez-vous avant de commencer votre dialogue.

➕ **Pour vous aider !**

Vous devez parler :	Votre mère ou votre père doit parler :
• du prix peu élevé	• du prix très élevé
• des amis avec qui vous partez	• des dangers du ski
• de l'importance de faire du sport	• du froid

Je suis en forme !

Le cocktail anti-santé ? Canapé-Télé-Ordinateur-Grignotage.

Rester toute la journée devant la télé ou l'ordinateur, ce n'est pas bon pour la santé. Au moins 30 minutes de sport par jour, c'est bien pour dépenser de l'énergie. Allez au lycée à pied ou en vélo quand c'est possible ! À la piscine, nagez à votre rythme, au moins une demi-heure. C'est un moyen parfait de travailler tous les muscles.

Pourquoi bouger ?

Pour rester en forme et en bonne santé. Bouger chaque jour permet de ne pas grossir. Si l'on mange trop, on apporte trop d'énergie à son corps : il faut dépenser toute cette énergie, sinon on grossit.

Envie de pratiquer un sport ?

Pratiquer un sport aide à se sentir bien. En plus on peut se faire de nouveaux amis ! Chaque sport a ses avantages : découvrir l'esprit d'équipe, se dépasser et se détendre. Ce qui est important, c'est d'avoir du plaisir à pratiquer un sport.

Pour l'esprit d'équipe : rugby, foot, basket, hockey, volley, etc.

Pour se dépasser : course à pied, natation, vélo, ski de piste, etc.

Pour se détendre : yoga, danse, etc.

Vous n'aimez pas la compétition ? Choisissez un sport de loisir. Pourquoi ne pas aller à la piscine, mettre ses rollers, faire du skate, prendre le vélo pour aller chez ses amis, mettre ses baskets pour aller courir, participer à un match de foot, de rugby ou de tennis ?

➕ Les mots pour...

les bonnes / mauvaises habitudes		
• Dépenser de l'énergie	• Se sentir bien	• Les muscles
• Nager	• Se dépasser	• La piscine
• Bouger	• Se détendre	• L'esprit d'équipe
• Être en bonne/mauvaise santé		• Le grignotage

1 **Vous ne faites pas de sport. Que vous conseille de faire cet article ? Répondez par vrai ou faux.**

a.	Il faut faire une demi-heure de sport par jour.	Vrai	Faux
b.	Ne prenez pas le bus ou la moto pour aller au lycée.	Vrai	Faux
c.	C'est bien de rester devant l'ordinateur toute la journée.	Vrai	Faux
d.	Nagez le plus vite possible.	Vrai	Faux

2 **À quoi sert de faire une activité physique ? Répondez par vrai ou faux. Justifiez vos réponses avec des extraits du texte.**

a.	Le sport permet de se détendre.	Vrai Faux Justification ...
b.	Dépenser de l'énergie permet de ne pas grossir.	Vrai Faux Justification ...
c.	Manger donne trop d'énergie au corps.	Vrai Faux Justification ...
d.	Le sport fait grossir.	Vrai Faux Justification ...
e.	Le sport permet de se faire de nouveaux amis.	Vrai Faux Justification ...
f.	Le sport aide à se sentir mieux.	Vrai Faux Justification ...

3 **Vous n'aimez pas les sports collectifs. Quels sports pouvez-vous pratiquer ?**

Vélo	Danse	Foot	Tennis	Rugby
Ski	Yoga	Volley	Natation	Hockey

4 **Vous ne voulez pas être membre d'un club. Quel sport pouvez-vous faire ?**

Roller	Patin à glace	Foot	Tennis	Natation
Vélo	Yoga	Course à pied	Snow-board	Danse

 **Écrire**

1 Vous êtes sur le forum « Les jeunes et leur santé ». Vous lisez le message de Julien75.
Vous lui répondez et lui donnez des conseils (60 à 80 mots).

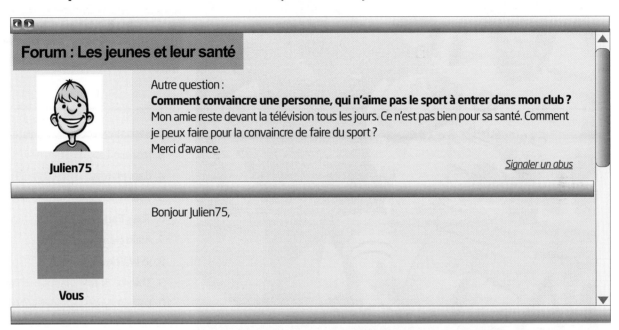

Forum : Les jeunes et leur santé

Autre question :
Comment convaincre une personne, qui n'aime pas le sport à entrer dans mon club ?
Mon amie reste devant la télévision tous les jours. Ce n'est pas bien pour sa santé. Comment
je peux faire pour la convaincre de faire du sport ?
Merci d'avance.

Signaler un abus

Julien75

Bonjour Julien75,

Vous

2 À vous de jouer ! Votre lycée fait une campagne sur « Être en pleine forme ! » Préparez une affiche
avec 5 conseils à donner à vos camarades. Proposez un slogan. Imaginez un événement pour
cette campagne (compétition, camp de sport, etc.) et invitez vos camarades (lieu et date).
Aidez-vous des boîtes à outils, pages 74 et 82.

Être en pleine forme !

Conseils :

1. ...

2. ...

3. ...

4. ...

5. ...

Slogan : ...

Événement : ...

Les sportifs préférés des Français

Sébastien Chabal, rugbyman français

Voici 10 sportifs très aimés par les Français :

1.	Sébastien Chabal	(Rugbyman)
2.	Sébastien Loeb	(Pilote de rallye)
3.	Jeannie Longo	(Cycliste)
4.	Gaël Monfils	(Tennisman)
5.	Yoann Gourcuff	(Footballeur)
6.	Tony Parker	(Basketteur)
7.	Alain Bernard	(Nageur)
8.	Jo-Wilfried Tsonga	(Tennisman)
9.	Thierry Henry	(Footballeur)
10.	Loïck Peyron	(Navigateur)

1 **Et vous, quel serait votre classement ? Donnez le nom de vos 5 sportifs préférés.**

	1	2	3	4	5
Sportif préféré					
Sport pratiqué					

2 **Complétez la fiche d'identité de Roger Federer.**

Ville de naissance ....   Sports pratiqués ....
Nationalité ....   Langues parlées ....
Date de naissance ....   Centres d'intérêt ....
Poids ....   Couleurs préférées ....
Taille ....   Modèles au tennis ....
Plats préférés ....

Laure Manadou

Laure Manaudou est une nageuse française, née le 9 octobre 1986 à Villeurbanne,. Elle a gagné une médaille d'or olympique sur 400 m (2004), deux titres mondiaux sur la même distance (2005 et 2007) et un autre sur 200 m (2007). Sur cette période, Laure Manaudou a gagné trois médailles olympiques, six médailles mondiales et treize médailles européennes. Le 21 janvier 2009, Laure Manaudou annonce qu'elle arrête sa carrière de nageuse. Cependant, en juillet 2011, elle décide de reprendre la compétition.

Palmarès général			
	Or	Argent	Bronze
Jeux olympiques	1	1	1
Championnat du monde	3	2	1
Championnat d'Europe	17	2	6
Championnat de France	55	12	11
Total	76	17	19
Distinction			
Nageuse mondiale de l'année en 2007			

Roger Federer

Roger Federer est né à Bâle le 8 août 1981 à 8 h 40. Aujourd'hui, ce champion du monde de tennis est devenu un athlète de 1 m 86 et pèse 84 kg. Il aime le football, le ski, mais aussi écouter de la musique (Lenny Kravitz). Côté gastronomie, il adore les tomates avec de la mozzarella ou encore les gnocchis. Ses couleurs préférées sont le bleu, le rouge et le blanc. Ses modèles en tennis sont Boris Becker et Stefan Edberg. Son club de football préféré est le FC Bâle.

▶ Quelle est ta préparation physique entre les tournois ?
Je bouge un peu tous les jours. C'est très simple en fait. La semaine prochaine, je vais être en vacances et je ne vais rien faire. Mais après, je vais me préparer à nouveau physiquement.

▶ Pratiques-tu d'autres sports que le tennis ?
Oui. Je fais du tennis de table de temps en temps, entre les matchs, pour me détendre. Je pratique aussi le squash, le football et je fais du ski quand c'est possible. Je dois faire attention aux blessures*. Mais j'ai toujours du plaisir à faire du sport.

▶ As-tu des amis dans le monde du tennis ?
Oui, je parle trois langues (allemand, français et anglais) : les contacts sont plus faciles. Je m'entends très bien avec beaucoup de joueurs qui sont bien sûr mes adversaires. Il n'y a pas vraiment de rivalité* entre nous, je n'ai pas trop de problèmes. Mais j'ai d'autres amis qui ne sont pas dans le monde du tennis.

* blessure : vient du verbe blesser. Se faire mal.
* rivalité : la concurrence, la compétition.

 **À vous !**

3

ⓐ Quel est le titre le plus prestigieux de Laure Manaudou ?

ⓑ Que s'est-il passé en 2009 ?

ⓒ Combien de titres a-t-elle au total ?

4

ⓐ Choisissez votre sportif ou sportive préféré(e) et présentez-le (la) à la classe sans donner son nom.

ⓑ Laissez vos camarades deviner qui vous présentez.

ⓒ Présentez son portrait en donnant les indications dans l'ordre suivant :

• son âge
• sa nationalité
• ses médailles et ses titres
• ce qu'il/elle a réussi
• son sport

Test

 Mettez les phrases suivantes au passé récent. ...... /4

ⓐ Nous rentrons des vacances au ski.
  ▶ ....
ⓑ Nous mangeons à la cantine.
  ▶ ...
ⓒ Tu appelles ta sœur.
  ▶ ...
ⓓ Ils boivent un verre de jus de pomme.
  ▶ ...

Mettez les phrases suivantes à l'impératif négatif. ...... /5

ⓐ Tu ne dois pas finir cet énorme dessert.
  ▶ ....
ⓑ Nous ne devons pas passer trop de temps devant la télé.
  ▶ ....
ⓒ Tu ne dois pas grignoter toute la journée.
  ▶ ....
ⓓ Vous ne devez pas trop manger au fast-food.
  ▶ ....
ⓔ Nous ne devons pas manger plus de trois repas par jour.
  ▶ ....

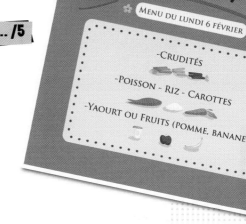

 Répondez aux questions suivantes. Remplacez le nom souligné par un pronom complément : le - la - les - lui - leur - en.

Ex. : Est-ce que tu regardes <u>la télé</u> tous les soirs ? ...... /6
▶ Non, je ne *la* regarde pas tous les soirs, mais au moins deux fois par semaine.

ⓐ Est-ce que toi et tes amis faites <u>du sport</u> au moins deux fois par semaine ?
  - ....
ⓑ As-tu vu <u>le professeur de sport</u> ce matin ?
  - ....
ⓒ Est-ce que tu as dit <u>à tes parents</u> que tu partais au ski avec le lycée ?
  - ....
ⓓ Est-ce que tu mets <u>tes rollers</u> pour aller au lycée ?
  - ....
ⓔ Combien de fois par jour téléphones-tu <u>à ton meilleur ami/à ta meilleure amie</u> ?
  - ....

 Utilisez les adverbes suivants dans les phrases :
sainement - correctement - parfaitement - régulièrement ...... /2

ⓐ Sophie et Pablo suivent ... leur cours de danse pour leur ballet annuel.
ⓑ Il est conseillé de manger ... pour être en bonne santé.
ⓒ Mes amis me connaissent ... Ils savent que je déteste le sport.
ⓓ Fais tes séances de natation ... et tu vas être en pleine forme.

..... /20

 Complétez les phrases avec un article partitif. ...... /3

ⓐ J'écoute ... musique quand je fais du sport.
ⓑ Il est végétarien. Il ne mange jamais ... viande.
ⓒ Il y a ... carottes et ... poisson au menu à la cantine aujourd'hui.
ⓓ Ce plat n'a pas de goût. Il faut mettre ... sel et ... épices.

**Corrigez en classe
et comptez votre score.**
Vous avez plus de 20 points ?
 Bravo !
Vous avez autour de 15 points ?
Pas mal.
Vous avez moins de 15 points ?
Révisez l'unité et mémorisez !

Globe-trotters

Parler de ses projets pour l'été

Faire des réservations

Acheter des billets

Se renseigner sur une région,
un hôtel, des horaires

COmpréhension

À l'oral

On part en vacances !

Garçon - Bonjour Madame, je pars faire du camping avec quatre amis à Perpignan du 1er au 15 août. Je voudrais connaître les prix et les horaires des trains s'il vous plaît, et puis acheter les billets.

Vendeuse SNCF – Vous voulez un aller-retour ?

G – Oui, un aller le 1er et un retour le 15.

V – Première ou seconde classe ?

G – Des places en seconde.

V – D'accord. C'est pour combien de personnes ?

G – Nous sommes quatre et nous avons tous 16 ans.

V – Donc, vous avez droit à un tarif réduit car vous avez moins de 18 ans. J'ai plusieurs horaires à vous proposer. Vous préférez partir le matin ou l'après-midi ?

G – Le matin, vers 9 h. C'est possible ?

V – Oui, il y a un train qui part à 9 h 20 et qui arrive à Perpignan à 13 h 30. Est-ce que cela vous convient ?

G – Oui, c'est très bien. Pour le retour, nous préférons un voyage de nuit. J'ai entendu parler du TGV iDNight. Qu'est-ce que c'est ?

V – Je suis désolée, mais ça n'existe plus. C'était un train de nuit où l'on ne dormait pas. Il y avait un bar avec des concerts et un DJ qui mixait pendant tout le voyage.

G – C'est dommage ! Qu'est-ce que vous pouvez me proposer alors ?

V – Il existe aussi les iDTGV. Je suis sûre que ça vous plaira ! Il y a deux ambiances dans les iDTGV : iDZen ou iDZap !

G – Ça a l'air bien. L'ambiance iDZen, je comprends ce que ça veut dire. Mais l'ambiance iDZap, c'est quoi ?

V – Avec iDZap, vous voyagez dans une ambiance sympa avec de nombreux services et animations : vous pouvez téléphoner, regarder un film DVD, jouer aux cartes ou à des jeux vidéo...

G – C'est super, mes amis vont adorer. Je peux faire une réservation ?

V – Ce n'est pas possible ici car les réservations dans les trains iDTGV se font seulement en ligne, sur Internet. Vous devez aller sur le site www.idtgv.com.

G – Ça m'ennuie car j'ai promis à mes amis de revenir avec les billets. Je voudrais les acheter aujourd'hui.

V – Dans ce cas, je peux vous proposer une solution plus classique, avec un train de nuit. Ce n'est pas un TGV, mais c'est très confortable et très économique. C'est le meilleur prix ! Vous voyagerez dans un compartiment seconde classe où il y a 6 couchettes.

G – C'est top ! C'est ça qu'il nous faut !

---

1 Écoutez le dialogue.

2 Où partent les amis ? Trouvez sur la carte.

3 Pourquoi les amis ont-ils droit à un tarif réduit ?
- **a** Ils voyagent en groupe.
- **b** Ils ont moins de 18 ans.
- **c** Ils ont une carte de réduction.

4 Que veulent les amis pour le retour ?
- **a** un train de nuit
- **b** un voyage rapide
- **c** un billet économique

5 Qu'est-ce qu'on trouve dans le TGV iDZap ?
- **a** des concerts toute la nuit
- **b** une ambiance très calme
- **c** des services et animations

6 Que choisit le jeune homme pour le retour ?

⊕ Les mots pour...

faire une réservation, acheter un billet	
• Acheter les billets	• Première ou seconde classe
• Les horaires	• Des places en seconde
• Un aller-retour	• Faire une réservation
• Un tarif réduit	• Réserver en ligne
• Un voyage de nuit	• Un train de nuit
• Un service	• Un compartiment
• Le TGV : train à grande vitesse	• Des couchettes
• Une ambiance	• Est-ce que cela vous convient ?

Japon

À l'écrit

Russie

Stéphane, Baptiste et Isabelle vont passer une année à l'étranger. Ils nous font partager leur expérience quelques heures avant de partir.

États-Unis

Baptiste, 16 ans
Je m'appelle Baptiste, j'habite à la campagne, dans un village près de Rennes, j'ai seize ans et je vais passer un an au Japon. J'adore le changement, je suis très autonome et indépendant. Je veux découvrir une région du monde différente de la France. Alors ce voyage au Japon, je l'attends avec impatience ! Pour rassurer tout le monde, je pars dans une famille d'accueil japonaise qui habite à Osaka. J'irai au lycée avec le fils de la famille. Et puis le reste du temps, je compte bien vivre comme les jeunes Japonais : jeu vidéo, karaoké, ciné et sorties ! J'ai choisi ce pays car j'ai envie de découvrir une culture étrangère différente de la mienne. Je pense m'adapter facilement à ce nouveau mode de vie !

Stéphane, 17 ans
Je n'ai jamais quitté Toulouse, ma ville natale du sud de la France. Je voulais partir au soleil, dans un pays où il fait chaud et, si possible, près de la mer. Mais quand le directeur du lycée m'a proposé de partir à Moscou, j'ai accepté tout de suite ! Je vais partir dans trois jours et j'y resterai un an, je pourrai découvrir le plus grand pays du monde et de nouveaux paysages. Je goûterai le bortsch (soupe de betteraves) et le bœuf Stroganov et, si possible, du caviar. Ma grande interrogation, c'est : vais-je réussir à communiquer ? Parce que j'ai toujours entendu dire que le russe est une langue difficile à apprendre !

Isabelle, 17 ans
Moi, j'ai choisi de partir aux États-Unis pour améliorer mon anglais et pour découvrir la culture américaine. Je suivrai des cours à l'université du Montana. Les paysages ont l'air magnifiques, il y a des hauts sommets avec d'immenses forêts et des lacs. Ça me changera de ma vie à Strasbourg. Je louerai une chambre sur le campus. J'espère que je me ferai de nouveaux amis américains, mais aussi du monde entier ! Ce séjour, c'est une super occasion d'élargir mes horizons et de vivre de nouvelles expériences. Je suis sûre que je vais rapporter des souvenirs inoubliables.

---

1 **Trouvez les informations demandées.**

	Ville d'origine	Destination (pays)
Stéphane		
Baptiste		
Isabelle		

2 **Pour quelles raisons les 3 jeunes ont-ils décidé de partir ? Associez les raisons aux prénoms correspondants** (2 raisons par personne).

a Stéphane

b Baptiste

c Isabelle

1. Découvrir une nouvelle culture
2. Apprendre une nouvelle langue
3. Découvrir un pays très différent
4. Découvrir de nouveaux paysages
5. Se faire de nouveaux copains
6. Goûter la cuisine locale

3 **Citez une caractéristique du pays où part Stéphane.**

4 **Où Baptiste va-t-il habiter ?**

a dans un hôtel
b dans une famille d'accueil
c dans une chambre universitaire

5 **Quels seront les loisirs de Baptiste ?** (4 réponses)

➕ Les mots pour...

parler de ses projets	les zones géographiques
• À l'étranger	• Le sud
• Un pays	• La mer
• Une ville	• À la campagne
• Un village	• Une région
• Un séjour	• Un sommet
• Une famille d'accueil	• Une forêt
• Louer une chambre	• Un lac
• Découvrir	
• Élargir ses horizons	
• Vivre de nouvelles expériences	

6 **Que va faire Baptiste avec le fils de la famille ?**

7 **Où Isabelle va-t-elle suivre des cours ?**

a dans une école **b** dans une université **c** dans un lycée

8 **Qui a peur de ne pas bien apprendre la langue du pays ?**

a Stéphane **b** Baptiste **c** Isabelle

9 **Qu'espère Isabelle ?**

10 **Et vous, quel pays préférez-vous ? Pourquoi ?**

V*o*cabulaire

 Complétez le texte avec les mots suivants.

couchettes - tarif réduit - un train de nuit - faire une réservation -
aller-retour - en seconde - billets de train - horaires

Coucou Baptiste,
Est-ce que tu peux t'occuper des ... pour les vacances ? Peux-tu aller à la gare et ... ? Prends deux
billets .... Nous partons le 25 juillet et rentrons le 10 août. Comme le voyage est long, je te propose
de voyager dans .... Réserve des ... car c'est plus confortable pour dormir. Choisis des places ...,
c'est moins cher. Pour les ..., prends un train qui part vers 20 h. Et n'oublie pas de demander un ... car
nous avons moins de 18 ans ☺
Merci ! À ce soir.
Laura

 Interrogez votre voisin pour connaître ses habitudes de vacances.
Complétez le tableau avec ses réponses et les vôtres.

	Mon voisin / Ma voisine	Vous
Pays		
Ville ou village		
Nord ou sud		
Campagne, mer ou montagne		
Durée du séjour		
Logement		
Pour se reposer, élargir ses horizons...		

 Voici des images de lieux de vacances. Choisissez 5 mots pour décrire
chaque image.

séjour - lac - forêt - sommet - à l'étranger - chaud - campagne -
montagne - faire du camping - se promener - ville - s'amuser -
nager - faire de la randonnée - chanter

(a)

(b)

(c)

Ph**o**nétique

1 Écoutez les sons et dites si les deux sons que vous entendez sont identiques (=) ou différents (≠).

	=	≠
1.		
2.		
3.		
4.		
5.		

2 Est-ce que vous entendez le son [œ] ou le son [ø] ?

	1.	2.	3.	4.	5.	6.	7.	8.
[œ]								
[ø]	✓							

3 Répétez à voix haute les phrases suivantes.

- **a** Il veut partir en vacances.
- **b** Je peux venir avec vous ?
- **c** Il y a deux billets.
- **d** Dans le train, nous pourrons jouer à des jeux vidéo.
- **e** Tu aimes le bœuf Strogonov ?

4 Lisez les phrases suivantes. Entourez la lettre [r]. Que remarquez-vous ?

- **a** Est-ce que tu peux réserver les billets ?
- **b** As-tu déjà mangé du caviar ?
- **c** Je suis sûre que ça va vous plaire.

AS-TU DÉJÀ MANGÉ DU CAVIAR ?

5 Dites si vous entendez le son [r] ou pas.

	J'entends le son [r].	Je n'entends pas le son [r].
1.		
2.		
3.		
4.		
5.		

6 Écoutez et écrivez dans votre cahier les mots en entier avec « f », « ff » ou « ph ».

- **1** Sté...ane
- **2** di...érent
- **3** neu...
- **4** di...icile
- **5** pré...érer
- **6** tari...
- **7** ...rase
- **8** ...mille

Le futur simple — Annexe page 108

Il s'utilise pour annoncer un évènement qui va avoir lieu dans le futur.

Ex. : L'été prochain, nous partirons faire du camping.

■ Pour les verbes en -er et -ir, le futur simple se forme ainsi : Infinitif du verbe + les terminaisons **-ai, -as, -a, -ons, -ez, -ont**

■ Pour certains verbes (mettre, etc.), le futur simple se forme à partir de **l'infinitif sans e**.

	Voyager	Partir
Je	voyagerai	partirai
Tu	voyageras	partiras
Il/elle/on	voyagera	partira
Nous	voyagerons	partirons
Vous	voyagerez	partirez
Ils/elles	voyageront	partirons

	Faire	Aller	Avoir	Être
Je	ferai	irai	aurai	serai
Tu	feras	iras	auras	seras
Il/elle/on	fera	ira	aura	sera
Nous	ferons	irons	aurons	serons
Vous	ferez	irez	aurez	serez
Ils/elles	feront	iront	auront	seront

1. Complétez les phrases en écrivant le verbe au futur.

a) Je ... l'avion pour aller aux États-Unis. (prendre)
b) Tu ... acheter tes billets sur le site de la SNCF. (pouvoir)
c) Est-ce qu'il ... avec nous à Perpignan ? (être)
d) Nous ... dans le même compartiment que vous. (voyager)
e) Vous ... vos billets à la gare ? (acheter)
f) Elles ... leur séjour au bord de la mer. (finir)

2. Vous partez bientôt en vacances avec vos amis. Conjuguez les verbes au futur.

Salut Paul,

Ça y est ! Nous sommes d'accord pour le week-end prochain ☺.Nous ... (partir) à Perpignan avec les copains. Est-ce que tu veux venir avec nous ? Nous ... (avoir) le temps de prendre le petit-déjeuner dans le train. Nous ... (voyager) en train de nuit. On ... (dormir) tous dans le même compartiment. Je ... (faire) la réservation des billets de train après-demain sur Internet. Nous ... (acheter) des billets en seconde classe car c'est moins cher. Comme on a moins de 18 ans, on ... (avoir) un tarif réduit. Je t' ... (appeler) demain.
Bisous,
Isabelle

Le pronom « y » — Annexe page 109

Le pronom « y » remplace les **compléments de lieu** introduits par les prépositions **à, en** ou **chez**.
Ex. : Je vais à la poste. J'y vais.

3. Répondez aux questions en utilisant le pronom « y ».

a) Est-ce que tu vas à Moscou ? → ...
b) L'année prochaine, tu iras chez tes amis américains ? → ...
c) Tu habites en France ? → ...
d) Tu partirais en Russie ? → ...
e) Tu retournes à Toulouse pour les vacances ? → ...
f) Tu seras au Japon en avril ? → ...

Les pronoms relatifs qui, que, où

Annexe page 109

Les pronoms relatifs **servent à relier deux phrases** pour en faire une seule.

■ **Qui** remplace le sujet.
Ex. : Stéphane vit à Toulouse. Il part à Moscou. ▶ Stéphane, qui vit à Toulouse, part à Moscou.

■ **Que** remplace un complément d'objet direct (COD).
Ex. : J'ai réservé des billets pour Perpignan. Les billets sont chers. ▶ Les billets que j'ai réservés
pour Perpignan sont chers.

■ **Où** remplace un complément de lieu ou de temps.
Ex. : Je vis dans un pays où il fait chaud.
C'est l'année où je vais partir à Osaka.

4 **Complétez les phrases en utilisant le pronom relatif qui correspond.**

ⓐ La Russie est un pays ... est très grand.
ⓑ J'habite dans un village ... se trouve à côté de Rennes.
ⓒ Le Japon, c'est le pays ... je préfère.
ⓓ Je pars faire un séjour à l'université du Montana ... je vais améliorer mon anglais.
ⓔ La famille d'accueil ... j'ai choisie habite à la campagne.
ⓕ L'hôtel ... je vais habiter se trouve à côté d'une forêt.

 Le superlatif Annexe page 109

■ **Avec un adjectif**, le superlatif se construit avec **le/la/les + plus / moins + adjectif (+ de)**.
Ex. : La Russie est le plus grand pays du monde.
La seconde classe est la moins confortable.
Mes billets sont les plus chers !

■ **Avec un nom**, le superlatif se construit avec **le plus de / le moins de + nom**.
Ex. : C'est iDZap qui offre le plus de services.
C'est dans le train de nuit qu'il y a le moins de voyageurs.

 Les superlatifs irréguliers

■ Bon / bonne / bon(nes) → **le meilleur / la meilleure / les meilleur(e)s**
■ Bien → **le mieux**
Ex. : C'est le meilleur prix !
Le mieux pour voyager tranquillement, c'est le train iDZen.

5 **Répondez aux questions en utilisant un superlatif.**

ⓐ Quelle est la solution d'hébergement la plus économique ? L'hôtel ou une famille d'accueil ?
ⓑ Quel est le moyen de voyager le plus confortable ? Le train ou la voiture ?
ⓒ Quel est le lieu le plus sympa pour se reposer ? La mer ou la montagne ?
ⓓ Quel pays propose la meilleure nourriture ? La Russie, le Japon ou les États-Unis ?
ⓔ Quel voyage est le plus rapide ? Le train ou l'avion ?

Écouter

Émission à la radio !

1 Écoutez l'émission.

2 Qu'est-ce que Clémence aime faire pendant les vacances ?

3 Pourquoi les amis de Clémence sont-ils contents ?

4 Qu'est-ce que Clémence emporte chaque jour à la plage ?

    a ...   **b** ...   **c** ...   **d** ...

5 Où va Thomas pendant ses vacances ?

    a À la mer   **b** À la montagne   **c** À la campagne

6 Quels sports Thomas pratique-t-il pendant ses congés ? Citez-en 3.

    a ...   **b** ...   **c** ...

7 Quelle est la passion de Kévin ?

8 Avec qui Kévin part-il en vacances ?

9 Où Kévin dort-il ? (2 réponses)

10 Vous êtes très intéressé(e) par l'émission car vous allez partir en vacances avec vos amis cet été sans vos parents ! Écoutez une seconde fois l'émission et prenez des notes. Écrivez ensuite un courriel à vos amis pour leur donner les informations utiles.

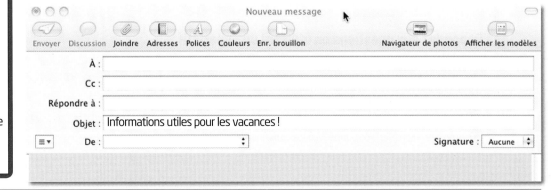

+ Les mots pour...

parler de ses projets de vacances

- Aller à la plage
- Bronzer
- Faire la grasse matinée
- Sortir en discothèque
- Faire de la luge
- Dormir à la belle étoile
- Un maillot de bain, une serviette, des lunettes de soleil, de la crème solaire
- Un club de rando (de randonnée)
- La routine

Parler

1 Avec votre voisin(e), répondez aux questions suivantes.

ⓐ Quelles sont pour vous les vacances idéales ?
Mer ou montagne, qu'est-ce que vous préférez ? Et pour quelles raisons ?
ⓑ Dans quel pays étranger voulez-vous aller ? Pourquoi ?
ⓒ Êtes-vous plutôt sac à dos et chaussures de randonnée ou maillot de bain et crème solaire ?

2 Jeu de rôles : Séjour à la montagne

ⓐ Vous voulez partir au ski, avec des amis, pendant les vacances.
ⓑ Vous téléphonez à l'UCPA pour prendre des renseignements sur l'hébergement,
les places disponibles, les activités proposées et les prix.
ⓒ Travaillez avec votre voisin(e). Inventez un dialogue : l'un joue le rôle
de l'employé de l'UCPA, l'autre celui de l'étudiant.

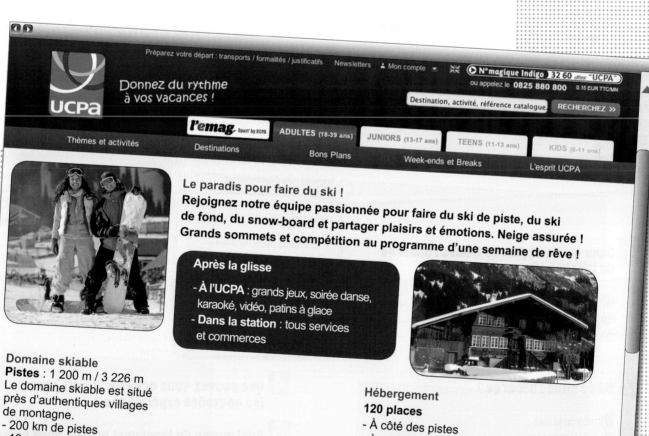

Préparez votre départ : transports / formalités / justificatifs   Newsletters   👤 Mon compte ▾

N°magique Indigo **32 60** dites "UCPA"
ou appelez le **0825 880 800**   0.15 EUR TTC/MN

**Donnez du rythme
à vos vacances !**

Destination, activité, référence catalogue.   RECHERCHEZ »

l'emag Sport' by UCPA   **ADULTES** (18-39 ans)   JUNIORS (13-17 ans)   TEENS (11-13 ans)   KIDS (6-11 ans)

Thèmes et activités   Destinations   Bons Plans   Week-ends et Breaks   L'esprit UCPA

Le paradis pour faire du ski !
**Rejoignez notre équipe passionnée pour faire du ski de piste, du ski
de fond, du snow-board et partager plaisirs et émotions. Neige assurée !
Grands sommets et compétition au programme d'une semaine de rêve !**

Après la glisse

- **À l'UCPA** : grands jeux, soirée danse,
karaoké, vidéo, patins à glace
- **Dans la station** : tous services
et commerces

Domaine skiable
Pistes : 1 200 m / 3 226 m
Le domaine skiable est situé
près d'authentiques villages
de montagne.
- 200 km de pistes
- 10 canons à neige

Hébergement
120 places
- À côté des pistes
- À 1 750 m d'altitude
- Chambres de 4 avec toilettes et douches

Écrit

Lire

Auberge de jeunesse de Marseille
« Au pied des calanques »

Coordonnées
Avenue Jean-Vidal
13008 Marseille
Tél : +33 (0)4 91 17 63 30
✉ : marseille-bonneveine@fuaj.org

Présentation

L'auberge de jeunesse, près des plages du Prado et des Calanques, séduira tous les amoureux de la mer Méditerranée. Viens découvrir une ville du Sud où tu profiteras de la mer, de la montagne, des musées et des soirées animées en discothèque ou dans les bars de la ville.

Si tu es fan de plongée, tu pourras découvrir de magnifiques poissons avec le club de plongée de l'auberge.

Tu pourras également profiter de la plage située à 200 mètres de l'auberge pour bronzer, nager, lire ou jouer à des sports collectifs.

Nous organisons aussi des randonnées dans la campagne qui se trouve à côté de Marseille : tu pourras y admirer les champs de lavande, les oliviers et beaucoup de vignes.

Si tu aimes les nouvelles expériences, tu pourrais essayer la piste de skate du Prado, mondialement connue. Et si tu préfères une activité plus tranquille, visite Marseille à vélo ! La plus proche station de vélos à louer se trouve à 10 minutes à pied de l'auberge.

Activités

Location de vélos
Plage
Planche à voile
Plongée
Skate
Sports collectifs
Excursions dans la ville
Visite de la campagne

Infos pratiques
Comment venir à l'auberge ?
- En train, la gare St-Charles est à 5 km (TGV toutes les heures).
- En avion, l'aéroport Marseille-Provence est à 35 km.
- En bus, arrêt « Bonnefon » à 200 m.

Tarif : 20 € par nuit avec le petit-déjeuner (activités sportives comprises)
Auberge ouverte du 17 janvier au 18 décembre.

➕ Les mots pour...

parler de ses projets de vacances
- Faire de la planche à voile
- Faire de la plongée
- Une excursion
- Les sports collectifs
- La lavande
- Un olivier
- Des vignes

1 Dans quelle région se trouve l'auberge de jeunesse ?

- (a) dans le sud de la France
- (b) au centre de la France
- (c) dans le nord de la France

2 Où se situe l'auberge ?

- (a) près de la mer
- (b) à la campagne
- (c) dans le centre-ville

3 Quelles activités peut-on faire ?

de la plongée	du patin à glace	du camping
de la randonnée	du skate	du ski nautique

4 Que pouvez-vous essayer si vous aimez les nouvelles expériences ?

5 Quel moyen de transport pouvez-vous louer pour vous déplacer dans Marseille ?

6 Est-ce que l'auberge est ouverte toute l'année ? Justifiez votre réponse en copiant la phrase du texte qui correspond.

Écrire

1 **Lisez les deux expériences de voyages et donnez votre opinion sur ces expériences. Quelle expérience seriez-vous prêt(e) à vivre ? Pourquoi ?**

EN BREF

VOYAGE SUR MARS

La mission Mars 500 rentre sur Terre, sans l'avoir quittée.

Le 4 novembre 2011, un équipage de six hommes, avec des Russes, des Chinois et des Européens, dont un Français, « revient » sur Terre après une simulation* de voyage vers la planète Mars. Ils ont accepté de rester enfermés pendant 520 jours dans un faux vaisseau spatial. Les six hommes sont sortis ce matin et tout s'est bien passé !

*simulation : reproduction artificielle des conditions de voyage dans une navette spatiale

VACANCES HUMANITAIRES

Offrir des vacances pendant ses vacances.

Paul, 18 ans, rentre à Paris avec des souvenirs plein la tête. Il revient de Martinique. Il n'est pas parti pour faire du tourisme. Il vient d'y passer un mois, pendant ses vacances d'été, comme bénévole*. Il a été sélectionné par l'association de son lycée. Il est parti aider pour animer des ateliers dans une colonie de vacances accueillant les enfants qui ne partent pas en vacances.

*bénévole : qui travaille sans être payé

2 **Présentez votre projet de vacances sur la page de votre réseau social préféré : expliquez où et avec qui vous partirez en vacances. Dites aussi ce que vous ferez d'original.**
Aidez-vous des boîtes à outils pages 94 et 96.

Portraits d'aventuriers français

Document a

Romain Charles a répondu à l'appel de l'Agence spatiale européenne pour le projet Mars 500 et il a fait un voyage immobile de 520 jours qui a été parfois ennuyeux parfois passionnant. Il faut se souvenir d'une chose c'est qu'il est rentré et que l'équipage s'est bien entendu, ils ont donc réussi ! Il est donc très heureux de dire qu'un voyage vers Mars est possible.

Document b

En avril 2010, Jean-Louis Étienne a traversé le pôle nord en ballon. C'est un voyage qui a duré 5 jours et 5 nuits. C'est un ballon qui est poussé par le vent mais on peut seulement monter ou descendre. C'est un voyage très très difficile parce que quand vous êtes en ballon, vous êtes seul.

Document c

Claire et Reno Marca ont voulu découvrir le monde. À la fin de leurs études d'architecture d'intérieur, en avril 2000, Claire et Reno sont donc partis sans avoir choisi d'itinéraire précis. Ils voulaient aller à Tombouctou, et à Khartoum... finalement, ils ont choisi jour après jour leur destination. Ils pouvaient passer une heure ou plusieurs jours au même endroit. Et cela a duré... trois ans. Ils en ont fait un livre, Claire raconte, Reno dessine ou peint, et cela donne un album qui est un beau carnet de route.

À vous !

1 **Écoutez les documents a, b, c. Associez un portrait à un document.**

- Portrait n°1
- Portrait n°2
- Portrait n°3

- Document a
- Document b
- Document c

2 **Complétez le tableau dans votre cahier.**

	Portrait n° 1	Portrait n° 2	Portrait n° 3
Nom et prénom du voyageur			
Lieu visité (ville, pays, lieu)			
Date(s) du voyage			
Objectif(s) du voyage			
Impression(s)			

Nicolas Vanier, explorateur des temps modernes

1982-1987
Nicolas Vanier fait plusieurs expéditions à pied, à cheval ou en traîneau (avec ses chiens) au Canada.

1989
Il réalise un film *La Course des trappeurs* et fait un reportage photo sur le plus grand troupeau de caribous du monde.

1990-1991
Nicolas Vanier traverse la Sibérie pendant un an et demi ; il parcourt 7 000 kilomètres avec différents moyens de transport traditionnels : chevaux, traîneaux à chiens, rennes, poneys, canoë, etc.

1993-1994
Nicolas Vanier écrit deux livres : *La Vie en Nord* et *Solitudes Blanches*.

1994-1995
Il passe un an avec sa famille, dans les Rocheuses et le Yukon, et fait un grand voyage de 2 500 kilomètres jusqu'en Alaska.

1996
Il participe à « la Yukon Quest », la course en traîneau à chiens la plus difficile du monde : 1 600 kilomètres à travers le Grand Nord canadien et l'Alaska.

1997-1998
Nicolas Vanier écrit plusieurs livres et réalise un film de 52 minutes pour la télévision : *Un Hiver de chiens*.

1999
Il traverse tout le Grand Nord canadien de l'Alaska jusqu'à Québec, soit 8 600 kilomètres, en moins de cent jours avec son équipage de chiens de traîneaux.

2000-2002
Il écrit plusieurs livres et participe à nouveau à la course « Yukon Quest ». Il prépare son film *Le Dernier Trappeur*.

2004
Le film *Le Dernier Trappeur* sort au cinéma (2,2 millions d'entrées en France), ainsi que deux livres du même nom, album et jeunesse.

2005-2006
Nicolas Vanier effectue une nouvelle expédition : L'Odyssée Sibérienne. Il veut traverser en un hiver la Sibérie, depuis Irkoutsk, sur les bords du lac Baïkal, jusqu'à la place Rouge de Moscou, soit 8 000 kilomètres en traîneau à chiens.

2008
Nicolas Vanier prépare un nouveau film, *Loup,* qui sort en salle en 2009.

2011
Il prépare sa prochaine expédition.

---

3 **Observez cette photo de Nicolas Vanier. Répondez aux questions.**

ⓐ Quels types de voyages fait-il ?
ⓑ Dans quelles conditions ?
ⓒ Dans quelles régions ?
ⓓ Quelle est sa spécialité ?

4 **Lisez la biographie de Nicolas Vanier, puis répondez aux questions.**

ⓐ Quelle est l'activité principale de Nicolas Vanier ?

ⓑ Quels sont ses deux autres métiers ?
• écrivain et réalisateur
• journaliste et enseignant
• éleveur de chiens et guide

ⓒ Quels animaux a-t-il pris en photo pour un reportage ?
• des chiens
• des caribous
• des chevaux

ⓓ Nicolas Vanier réalise des films seulement pour le cinéma. Vrai ou faux ? Justifiez votre réponse en copiant la partie du texte qui vous permet de répondre.

ⓔ Quelle région a-t-il visitée avec sa famille ?

ⓕ Comment s'appelle la course de chiens de traîneaux la plus difficile au monde ?

ⓖ Combien de fois Nicolas Vanier a-t-il participé à la course ?

ⓗ Combien de films a-t-il réalisé ?
• 1   • 2   • 4

Test

1 Observez le billet de train et notez les informations demandées. ...... /4

(a) La ville de départ : ...
(b) La ville d'arrivée : ...
(c) La date du voyage : ...
(d) L'heure de départ : ...
(e) L'heure d'arrivée : ...
(f) Le numéro de la voiture : ...
(g) Le numéro de la place : ...
(h) Le prix à payer : ...

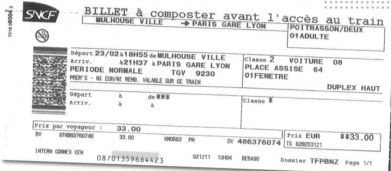

```
SNCF    BILLET à composter avant l'accès au train
        MULHOUSE VILLE  → PARIS GARE LYON    POITRASSON/DEUX
                                             01 ADULTE

Départ 23/02 à 18H55 de MULHOUSE VILLE     Classe 2   VOITURE  08
Arriv.       à 21H37 à PARIS GARE LYON     PLACE ASSISE  64
PERIODE NORMALE        TGV  9230           01 FENETRE
PREM'S - NI ECH/NI REMB. VALABLE SUR CE TRAIN
                                                        DUPLEX HAUT
Départ       à     de ***
Arriv.       à     à                       Classe *

Prix par voyageur :   33.00
BV    874863760748      33.00    KMO563  PN    DV 486376074   Prix EUR   **33.00
                                                              TS 828253121
INTERN CONNEX CEN
           08701359664423        021211   10H04  BE5A90   Dossier TFPBNZ  Page 1/1
```

2 Transformez les phrases en utilisant le pronom « y ». ...... /2

(a) Je vais à la campagne demain. ▶ ...
(b) Tu habites en Espagne depuis 4 ans ? ▶ ...
(c) Il va à la plage tous les samedis. ▶ ...
(d) Nous partons au Japon avec des amis. ▶ ...

3 Mettez le texte au futur simple. ...... /4

Nous partons en Australie pour 15 jours. Nous quittons la maison
très tôt le matin. Donc, c'est ma mère qui nous accompagne à l'aéroport.
Mon père prépare des sandwichs pour le voyage. Notre avion part à 7 h 30.
Nous arrivons à Sydney à minuit. C'est mon correspondant qui vient nous chercher.
Nous partons le lendemain au bord de la mer.
Vivement les vacances !

4 Répondez aux questions en utilisant le superlatif. ...... /4

(a) - Est-ce que la Russie est un grand pays ?
     - Oui, ...
(b) - Le caviar russe est-il bon ?
     - Oui, ...
(c) - Est-ce que le vol Paris-Sydney est long ?
     - ...
(d) - Le TGV est-il rapide ?
     - ...

...... /20

5 Complétez avec le bon pronom relatif : qui - que - où. ...... /6

(a) Le pays ... je préfère, c'est le Maroc !
(b) Je voudrais prendre un train ... circule la nuit.
(c) Le billet ... j'ai acheté est très bon marché.
(d) La famille ... m'accueille est vraiment très sympathique.
(e) La ville ... je rêve de vivre, c'est Marseille !
(f) L'hôtel ... je dors se trouve au bord de la mer.

**Corrigez en classe
et comptez votre score.**
Vous avez plus de 20 points ?
Bravo !
Vous avez autour de 15 points ?
Pas mal.
Vous avez moins de 15 points ?
Révisez l'unité et mémorisez !

Annexes

Grammaire et Tableau de conjugaison

Grammaire

Le présent de l'indicatif

Le présent est un temps qu'on utilise pour :
- décrire une situation, une action ou une personne ;
- raconter une situation ou une action présente, proche dans le futur ou habituelle.

▶ **description**
Ex. : Il est grand, il a les yeux verts et les cheveux courts.

▶ **action présente + action proche dans le futur**
Ex. : Je mange en ce moment. Je te rappelle dans 20 minutes.

▶ **action habituelle**
Ex. : Je joue au tennis tous les jours depuis 8 ans.

Les terminaisons du présent de l'indicatif pour les verbes en –er : -e, -es, -e, -ons, -ez, -ent.

Chanter : je chante, tu chantes, il/elle/on chante, nous chantons, vous chantez, ils/elles chantent.

Le genre des adjectifs

Adjectif au masculin	Adjectif au féminin
blond	blonde
jeune	jeune
marié	mariée
italien	italienne
bon	bonne
exceptionnel	exceptionnelle
premier	première
heureux	heureuse
sportif	sportive
gros	grosse

Quelques adjectifs irréguliers : beau(m)/belle(f), blanc(m)/blanche(f), fou(m)/folle(f), vieux(m)/vieille(f), roux(m)/rousse(f), gentil(m)/gentille(f), long(m)/longue(f).

Le pluriel des noms et des adjectifs

Pour mettre un nom ou un adjectif au pluriel, on ajoute un **-s** à la fin du mot.
*Ex. : un garçon → des garçon**s***
*un homme blond → deux homme**s** blond**s***
*la petite fille → les petite**s** fille**s***

Voici quelques cas particuliers de pluriel :

▶ Les noms et adjectifs qui se terminent par « s », « x », « z » restent invariables.
Ex. : un bus/des bus ; un gaz/des gaz.

▶ Certains noms ont un pluriel irrégulier.
*Ex. : Monsieur/Messieurs ; Madame/Mesdames ; Mademoiselle/Mesdemoiselles ; un ciel/des cieux ;
un œil/des yeux.*

▶ Le pluriel des noms et adjectifs qui se terminent par « al » ou « ail », est marqué par la terminaison « aux ».
*Ex. : un chev**al**/des chev**aux** ; un journ**al**/des journ**aux** ; un trav**ail**/des trav**aux**.*

▶ Les noms utilisés comme adjectifs de couleur restent invariables sauf rose, mauve et pourpre.
*Ex. : des sacs **marron** ; des yeux **noisette** ; des tables **roses**.*

Les articles définis et indéfinis

▶ On utilise les articles définis pour les personnes ou les choses que l'on connaît.
*Ex. : Tu parles avec **le** journaliste du Monde.*
*Tu manges **le** gâteau de Paul.*

▶ On utilise les articles indéfinis pour les personnes ou les choses qu'on ne connaît pas.
*Ex. : Tu parles avec **un** journaliste.*
*Tu manges **un** gâteau.*

▶ Tous les articles s'accordent en genre et en nombre au nom auquel ils se rapportent.
Ex. : Je mange un gâteau.
Je mange des gâteaux.

Le passé composé

1/ Auxiliaire être ou auxiliaire avoir ?

▶ On utilise l'auxiliaire **être** pour former le passé composé avec ces **15 verbes** :

Naître	Mourir	Aller	Arriver	Partir	Venir	Rester	Tomber
Je suis née à Marseille.	Il est mort en 1912.	Nous sommes allés chez un ami.	Ils sont arrivés en retard.	Elles sont parties en avance.	Vous êtes venus avec votre chien ?	Tu es resté toute la journée à la maison ?	Elle est tombée sur le bras.

Monter	Descendre	Entrer	Sortir	Passer	Demeurer	Retourner	
Ils sont montés ensemble dans l'ascenseur.	Tu es descendu par les escaliers ?	Ils sont entrés sans frapper.	Vous êtes sortis sans faire de bruit.	Je suis passé par la porte principale.	Nous sommes demeurés là sans bouger.	Elle est retournée chez elle.	

▶ On utilise l'auxiliaire **être** avec tous les **verbes pronominaux** (se laver, se lever, s'habiller, etc.).
Attention, le pronom doit changer à chaque personne.

Je me suis levé.
Tu t'es levé.
Il s'est levé.
Elle s'est levée.
Nous nous sommes levés.
Vous vous êtes levés.
Ils se sont levés.
Elles se sont levées.

▶ Tous les autres verbes au passé composé se conjuguent avec l'auxiliaire **avoir**.
Sujet + **avoir au présent de l'indicatif** + participe passé
Ex. : Nous avons visité le Musée Grévin.

Grammaire

2/ Quelques participes passés irréguliers conjugués avec l'auxiliaire avoir :

Être ▶ **été**

Avoir ▶ **eu**

Faire ▶ **fait**

Pouvoir ▶ **pu** (comme boire, voir, savoir, lire)

Prendre ▶ **pris** (comme mettre)

Dire ▶ **dit** (comme écrire)

3/ Accord des participes passés

Avec l'auxiliaire **être**, le participe passé s'accorde en genre et en nombre avec le sujet du verbe.

*Ex. : **Elles** sont resté**es** à la maison. (féminin pluriel)*

4/ Place de la négation et des adverbes avec le passé composé

▶ Au passé composé, la négation entoure l'auxiliaire.

*Ex. : Tu **n'es pas allée** au théâtre depuis longtemps.*
*Je **ne me suis pas réveillé** à l'heure ce matin. Je suis arrivé en retard.*

▶ Les adverbes se placent entre l'auxiliaire et le participe passé.

*Ex. : Vous êtes **déjà** rentrés ? / Ils sont **toujours** arrivés à l'heure.*

5/ Emploi du passé composé

On utilise le passé composé pour exprimer :

▶ **un moment précis dans le passé.**

Ex. : Hier, nous avons rencontré ma sœur au centre commercial.

▶ **une répétition dans le passé.**

Ex. : Vous êtes allés 3 fois au cinéma cette semaine !

▶ **une succession d'événements dans le passé.**

Ex. : Je suis sortie de l'appartement, je suis descendue au premier étage et je suis allée chez mon voisin.

 ## Les adjectifs démonstratifs : ce, cet, cette, ces.

L'adjectif démonstratif sert à **désigner**, à **montrer** des **personnes** et des **objets**.

*Ex. : **Cet** après-midi, je vais acheter **cette** robe, **ce** pull et **ces** chaussures !*

Singulier		Pluriel
Masculin	Féminin	Masculin ou féminin
ce cet (devant une voyelle ou un h)	cette	ces

 ## Les prépositions de temps : depuis, il y a

▶ On utilise « il y a » pour indiquer précisément le moment d'une action : **Il y a + verbe au passé composé**

*Ex. : Il est 15h et Léo a **donné** rendez-vous à Paul **il y a** une demi-heure.*

Léo a donc donné rendez-vous à Paul précisément à 14h30.

▶ On utilise « depuis » pour indiquer la durée d'une action qui a commencé dans le temps et qui continue dans le présent, au moment où on parle : **Depuis + verbe au présent**

*Ex. : Paul **attend** Léo **depuis** une demi-heure.*

Paul attend Léo qui est en retard !

L'interrogation

En français, une même question peut être formulée de 3 manières différentes : avec **l'intonation**, avec « **est-ce que** » et avec **l'inversion sujet/verbe**.

1. La forme la plus simple et la plus courante : l'intonation
Ex. : Vous allez au cinéma ?

2. On peut utiliser « est-ce que » et poser la même question.
Ex. : Est-ce que vous allez au cinéma ?

Avant un mot qui commence par une voyelle (ou un h muet) « est-ce que » prend l'apostrophe.
Ex. : Est-ce qu'ils vont au cinéma ?

3. On peut inverser le sujet et le verbe et poser encore la même question.
Attention, le trait d'union (-) est obligatoire.
Ex. : Allez-vous au cinéma ?

▶ Quand le sujet est un nom, l'inversion se fait avec le pronom personnel correspondant au sujet.
Ex. : Claude est-il dans ton lycée ?
    Le bus est-il en train d'arriver ?

▶ Quand le verbe se termine par une voyelle, on ajoute « **-t-** » entre le verbe et le pronom.
Ex. : Claude va-t-il au cinéma ?

L'interrogation avec « qu'est-ce que »

Les questions avec « qu'est-ce que » se posent avec une ou plusieurs choses.
« Qu'est-ce que » est invariable.
Ex. : Qu'est-ce que c'est ?   C'est un ticket de métro.   Ce sont des places de concert.

▶ Devant une voyelle, « qu'est-ce que » prend une apostrophe.
Ex. : Qu'est-ce qu'elle regarde ?   Qu'est-ce qu'Alice mange ?

Les mots interrogatifs

-**Qui** est ce monsieur ?
-**Que** regarde-t-elle ? / Qu'est-ce qu'elle regarde ?
-**Quand** commence le cours ?
-**Où** allez-vous ?
-**Comment** allez-vous au concert ?
-**Combien** de personnes participent au jeu ?
-**Pourquoi** tu ne manges pas ?
-**Quel** âge as-tu ?
-**Quelle** est ta nationalité ?
-**Quels** sont tes styles de musique préférés ?
-**Quelles** couleurs tu préfères ?

- *C'est le professeur de français.*
- *Elle regarde un film d'aventures.*
- *Le cours commence à 17h.*
- *Nous allons au cinéma.*
- *En métro.*
- *12 personnes participent.*
- *Parce que je suis malade.*
- *J'ai 20 ans.*
- *Je suis mexicaine.*
- *Le blues et le jazz.*
- *Je préfère le rouge et le blanc.*

Grammaire

Le conditionnel présent

Pour exprimer **un vœu, un souhait** ou pour formuler **une demande polie**, on utilise le conditionnel.
Formation : Infinitif + **terminaisons du conditionnel** : -ais, -ais, -ait, -ions, -iez, -aient.
*Ex. : Je **souhaiterais** acheter un nouvel ordinateur.*

Souhaiter	Verbes irréguliers	
	Vouloir	**Pouvoir**
Je souhaiterais	Je voudrais	Je pourrais
Tu souhaiterais	Tu voudrais	Tu pourrais
Il/elle/on souhaiterait	Il/elle/on voudrait	Il/elle/on pourrait
Nous souhaiterions	Nous voudrions	Nous pourrions
Vous souhaiteriez	Vous voudriez	Vous pourriez
Ils/elles souhaiteraient	Ils/elles voudraient	Ils/elles pourraient

*Ex. : Il **voudrait** partir en vacances plus souvent.*
    ***Pourriez**-vous me montrer ce téléphone dans la vitrine ?*

Le verbe « plaire »

Le verbe « plaire » permet de parler de ce qu'on aime ou de ce qu'on n'aime pas. Il se construit avec un pronom personnel, qui change pour chaque personne :

Ce pantalon (singulier)	me te lui nous vous leur } plaît	Les vêtements (pluriel)	me te lui nous vous leur } plaisent

Le verbe s'accorde avec son sujet, à la 3ème personne du **singulier** ou du **pluriel** (plaî**t** / plais**ent**).

L'imparfait

L'imparfait permet de **faire des descriptions** ou de **décrire des habitudes** dans le passé.
Pour conjuguer un verbe à l'imparfait, on utilise le verbe conjugué au présent à la 2ème personne du pluriel (vous)
et on remplace la terminaison du présent par les terminaisons de l'imparfait : -ais, -ais, -ait, -ions, -iez, -aient.

Ex. : J'avais beaucoup d'amis à Paris l'année dernière.

	Présent ▶ vous	Imparfait
Parler	Vous parlez	Je parlais, tu parlais, il/elle/on parlait, nous parlions, vous parliez, ils/elles parlaient
Écrire	Vous écrivez	J'écrivais, tu écrivais, il/elle/on écrivait, nous écrivions, vous écriviez, ils/elles écrivaient
Avoir	Vous avez	J'avais, tu avais, il/elle/on avait, nous avions, vous aviez, ils/elles avaient

Le comparatif

	Avec un adjectif	Avec un nom
Supérieur (+)	plus... que *Ex. : L'Everest est **plus** haut **que** le Mont-Blanc.*	plus de... que *Ex. : Il y a **plus de** bruit en ville **qu'**à la campagne.*
Égal (=)	aussi... que *Ex. : Le chat est **aussi** gros **que** le lapin.*	autant de... que *Ex. : Le tigre a **autant de** force **que** le lion.*
Inférieur (-)	moins... que *Ex. : L'hiver est **moins** chaud **que** l'été.*	moins de... que *Ex. : Il y a **moins de** pluie en été **qu'**en automne.*

L'impératif

On utilise l'impératif pour donner des ordres mais aussi pour donner des conseils.

> *Ex. :* **Ne mange pas** *de menus type fast-food qui ne sont pas équilibrés.*
> *En dessert,* **prends** *un produit laitier ou un fruit.*

Impératif		Impératif négatif	
Verbes en -er	**Verbes en -ir**	**Verbes en -er**	**Verbes en -ir**
Mange	Finis	Ne commence pas	Ne choisis pas
Mangez	Finissez	Ne commencez pas	Ne choisissez pas

Les pronoms compléments : le / la / l' / les et lui / leur

Le, la, l', les remplacent des personnes mais peuvent aussi remplacer des objets ou des situations.

le : nom masculin	**la** : nom féminin	**l'** : nom m. et f.	**les** : nom pluriel (m. et f.)

> *Ex. :* *Je consulte* **ma messagerie** *tous les jours.* → *Je* **la** *consulte tous les jours.*
> *J'ai vu* **ce film** *la semaine dernière au cinéma.* → *Je* **l'**ai vu *la semaine dernière.*

○ **Le =** [ ] ou nom masculin singulier (avec article défini *le* ou adjectif possessif *mon*)

> *Ex. :* *Nous regardons* **le match de football**. → *Nous* **le** *regardons.*
> *Je rencontre* **mon frère** *pour aller au ciné.* → *Je* **le** *rencontre pour aller au ciné.*

○ **La =** [ ] ou nom féminin singulier (avec article défini *la* ou adjectif possessif *ma*)

> *Ex. :* *Il remplace* **ma salade** *par des frites.* → *Il* **la** *remplace par des frites.*
> *Elle préfère* **la randonnée**. → *Elle* **la** *préfère.*

○ **L' =** [ ] ou [ ] ou nom masculin/féminin singulier (avec article défini ou adjectif possessif) devant une voyelle

> *Ex. :* *J'appelle* **mon frère** *pour aller au sport.* → *Je* **l'**appelle *pour aller au sport.*
> *J'achète* **la carte du club de sport** *chaque mois.* → *Je* **l'**achète *chaque mois.*

○ **Les =** [ ] [ ] [ ] ou nom masculin/féminin au pluriel

> *Ex. :* *Tu rencontres* **tes amis** *au lycée.* → *Tu* **les** *rencontres.*
> *Ils aiment* **les produits laitiers**. → *Ils* **les** *aiment.*

Grammaire

▶ **Avec la préposition « à » :**

○ **Lui** = 👤 ou 👤 avec la préposition « à » (**ne fonctionne qu'avec les personnes**)

Ex. : *Je téléphone **à mon frère** chaque soir.* → *Je **lui** téléphone chaque soir.*
        *Il offre un soda **à sa copine**.* → *Il **lui** offre un soda.*

○ **Leur** = 👥 👥 👥 👥 avec la préposition « à » (**ne fonctionne qu'avec les personnes**)

Ex. : *Je propose une sortie à **Marie et Pablo**.* → *Je **leur** propose une sortie.*
        *Je parle **à mes amis** de mon dernier match de foot.* → *Je **leur** parle de mon dernier match de foot.*

Le pronom en

Le pronom « en » remplace **la préposition « de » + un nom** (masculin, féminin ou pluriel).

Ex. : *Il parle **de ses vacances**.* → *Il **en** parle.*
        *Il se souvient **de sa semaine au ski**.* → *Il s'**en** souvient.*

Attention !
Ex. : *Il offre **un soda** à sa copine.* → *Il **en** offre **un** à sa copine.*
        *Il achète **deux sodas** à ses amis.* → *Il **en** achète **deux** à ses amis.*

Le futur simple

Formation : Infinitif + **terminaisons du futur** : -ai, -as, -a, -ons, -ez, -ont
Ex. : *Je visiterai (visiter + -ai) en France.*
        Tu partiras (partir + -as) en juin.

Mais il y a des exceptions pour certains verbes en -er :
    Appeler : j'appelle → futur : j'appellerai, tu appelleras
    Acheter : j'achète → futur : j'achèterai

Les verbes irréguliers :

	Pouvoir	**Vouloir**	**Savoir**	**Venir**	**Faire**
Je	pourrai	voudrai	saurai	viendrai	ferai
Tu	pourras	voudras	sauras	viendras	feras
Il/elle/on	pourra	voudra	saura	viendra	fera
Nous	pourrons	voudrons	saurons	viendrons	ferons
Vous	pourrez	voudrez	saurez	viendrez	ferez
Ils/elles	pourront	voudront	sauront	viendront	feront

Les auxiliaires :
    Être ▶ je serai, tu seras, il/elle/on sera, nous serons, vous serez, ils/elles seront
    Avoir ▶ j'aurai, tu auras, il/elle/on aura, nous aurons, vous aurez, ils/elles auront

Le pronom y

On utilise « y » pour remplacer un **complément de lieu** introduit par **à, dans, en, sur, sous**, etc.
> *Ex. : Je vais en Espagne cet été, j'y vais tous les étés.*
> *Ex. : Je pars à la montagne. J'y pars chaque année.*

Attention ! Il ne faut pas employer y devant le futur et le conditionnel présent du verbe aller.
> *Ex. : Est-ce que tu iras en Espagne cet été ? Oui, j'irai en Espagne cet été.*

 Les pronoms relatifs qui, que, où

On utilise les pronoms relatifs pour **relier deux propositions**. Ils remplacent un nom ou un pronom.

Ex. : La famille habite dans un village. La famille d'accueil m'héberge.
La famille est sujet des deux verbes. On emploie **qui** *pour relier les deux propositions.*
La famille d'accueil qui m'héberge habite dans un village.

Ex. : Le billet coûte 30 euros. J'achète un billet.
Billet est complément dans la deuxième phrase. On emploie **que** pour relier les deux propositions.
> *Le billet que j'achète coûte 30 euros.*

Pour remplacer :	On utilise le pronom relatif :	Exemples :
Le sujet du verbe	Qui	*La famille d'accueil qui m'héberge habite dans un village.*
Le complément direct du verbe	Que	*Le billet de train que j'achète coûte 30 €.*
Le complément de lieu du verbe	Où	*Je préfère les pays où il fait chaud.*

 Le superlatif

	Avec un adjectif ou un adverbe	Avec un nom	Avec un verbe
Supérieur (+)	le/la plus… (de) *Ex. : L'Everest est* **la plus** *haute montagne* **du** *monde.* *Le voyage en train dure* **le plus** *longtemps.*	le/la plus de *Ex. : C'est en ville qu'il y a* **le plus** **de** *bruit.*	le plus *Ex. : C'est Jean-Baptiste qui lit* **le plus.**
Inférieur (-)	le/la moins… (de) *Ex. : L'hiver est la saison* **la moins** *chaude* **de** *l'année.* *Le trajet en avion dure* **le moins** *longtemps.*	le/la moins de *Ex. : C'est en été qu'il y a* **le moins** **de pluie**.	le moins *Ex. : C'est Mady qui travaille* **le moins**.

Exceptions :
○ **Bien ▶ Mieux**
Ex. : Se coucher tôt est mieux que se coucher tard. Se coucher tôt est le mieux.

○ **Bon ▶ Meilleur**
Ex. : La salade est meilleure pour la santé que les frites. C'est la salade qui est la meilleure.

○ **Petit ▶** Deux superlatifs : **le plus petit/le moindre**
Ex. : C'est le plus petit pays qui existe. = le plus petit par la taille.
> *Il prépare le voyage en faisant attention aux moindres détails. = même aux choses qui ne sont pas importantes.*

○ **Mauvais ▶** Deux superlatifs : **le plus mauvais/le pire**
Ex. : J'ai eu la plus mauvaise place du train, j'étais assis à côté des toilettes !
> *C'est le pire voyage en train de ma vie !*

Tableau de conjugaison

Verbes en -er

	Présent	Futur simple	Passé composé	Imparfait	Conditionnel présent
Appeler	J'appelle Tu appelles Il/elle/on appelle Nous appelons Vous appelez Ils/elles appellent	J'appellerai Tu appelleras Il/elle/on appellera Nous appellerons Vous appellerez Ils/elles appelleront	J'ai appelé Tu as appelé Il/elle/on a appelé Nous avons appelé Vous avez appelé Ils/elles ont appelé	J'appelais Tu appelais Il/elle/on appelait Nous appelions Vous appeliez Ils/elles appelaient	J'appellerais Tu appellerais Il/elle/on appellerait Nous appellerions Vous appelleriez Ils/elles appelleraient
Manger	Je mange Tu manges Il/elle/on mange Nous mangeons Vous mangez Ils/elles mangent	Je mangerai Tu mangeras Il/elle/on mangera Nous mangerons Vous mangerez Ils/elles mangeront	J'ai mangé Tu as mangé Il/elle/on a mangé Nous avons mangé Vous avez mangé Ils/elles ont mangé	Je mangeais Tu mangeais Il/elle/on mangeait Nous mangions Vous mangiez Ils/elles mangeaient	Je mangerais Tu mangerais Il/elle/on mangerait Nous mangerions Vous mangeriez Ils/elles mangeraient
Commencer	Je commence Tu commences Il/elle/on commence Nous commençons Vous commencez Ils/elles commencent	Je commencerai Tu commenceras Il/elle/on commencera Nous commencerons Vous commencerez Ils/elles commenceront	J'ai commencé Tu as commencé Il/elle/on a commencé Nous avons commencé Vous avez commencé Ils/elles ont commencé	Je commençais Tu commençais Il/elle/on commençait Nous commencions Vous commenciez Ils commençaient	Je commencerais Tu commencerais Il/elle/on commencerait Nous commencerions Vous commenceriez Ils/elles commenceraient
Acheter	J'achète Tu achètes Il/elle/on achète Nous achetons Vous achetez Ils/elles achètent	J'achèterai Tu achèteras Il/elle/on achètera Nous achèterons Vous achèterez Ils/elles achèteront	J'ai acheté Tu as acheté Il/elle/on a acheté Nous avons acheté Vous avez acheté Ils/elles ont acheté	J'achetais Tu achetais Il/elle/on achetait Nous achetions Vous achetiez Ils/elles achetaient	J'achèterais Tu achèterais Il/elle/on achèterait Nous achèterions Vous achèteriez Ils/elles achèteraient

Verbes en -oir

	Présent	Futur simple	Passé composé	Imparfait	Conditionnel présent
Pouvoir	Je peux Tu peux Il/elle/on peut Nous pouvons Vous pouvez Ils/elles peuvent	Je pourrai Tu pourras Il/elle/on pourra Nous pourrons Vous pourrez Ils/elles pourront	J'ai pu Tu as pu Il/elle/on a pu Nous avons pu Vous avez pu Ils/elles ont pu	Je pouvais Tu pouvais Il/elle/on pouvait Nous pouvions Vous pouviez Ils/elles pouvaient	Je pourrais Tu pourrais Il/elle/on pourrait Nous pourrions Vous pourriez Ils/elles pourraient
Vouloir	Je veux Tu veux Il/elle/on veut Nous voulons Vous voulez Ils/elles veulent	Je voudrai Tu voudras Il/elle/on voudra Nous voudrons Vous voudrez Ils/elles voudront	J'ai voulu Tu as voulu Il/elle/on a voulu Nous avons voulu Vous avez voulu Ils/elles ont voulu	Je voulais Tu voulais Il/elle/on voulait Nous voulions Vous vouliez Ils/elles voulaient	Je voudrais Tu voudrais Il/elle/on voudrait Nous voudrions Vous voudriez Ils/elles voudraient
Devoir	Je dois Tu dois Il/elle/on doit Nous devons Vous devez Ils/elles doivent	Je devrai Tu devras Il/elle/on devra Nous devrons Vous devrez Ils/elles devront	J'ai dû Tu as dû Il/elle/on a dû Nous avons dû Vous avez dû Ils/elles ont dû	Je devais Tu devais Il/elle/on devait Nous devions Vous deviez Ils/elles devaient	Je devrais Tu devrais Il/elle/on devrait Nous devrions Vous devriez Ils/elles devraient

	Présent	Futur simple	Passé composé	Imparfait	Conditionnel présent
Savoir	Je sais Tu sais Il/elle/on sait Nous savons Vous savez Ils/elles savent	Je saurai Tu sauras Il/elle/on saura Nous saurons Vous saurez Ils/elles sauront	J'ai su Tu as su Il/elle/on a su Nous avons su Vous avez su Ils/elles ont su	Je savais Tu savais Il/elle/on savait Nous savions Vous saviez Ils/elles savaient	Je saurais Tu saurais Il/elle/on saurait Nous saurions Vous sauriez Ils/elles sauraient

Verbes en -ir / -ire

	Présent	Futur simple	Passé composé	Imparfait	Conditionnel présent
Écrire	J'écris Tu écris Il/elle/on écrit Nous écrivons Vous écrivez Ils/elles écrivent	J'écrirai Tu écriras Il/elle/on écrira Nous écrirons Vous écrirez Ils/elles écriront	J'ai écrit Tu as écrit Il/elle/on a écrit Nous avons écrit Vous avez écrit Ils/elles ont écrit	J'écrivais Tu écrivais Il/elle/on écrivait Nous écrivions Vous écriviez Ils/elles écrivaient	J'écrirais Tu écrirais Il/elle/on écrirait Nous écririons Vous écririez Ils/elles écriraient
Finir	Je finis Tu finis Il/elle/on finit Nous finissons Vous finissez Ils/elles finissent	Je finirai Tu finiras Il/elle/on finira Nous finirons Vous finirez Ils/elles finiront	J'ai fini Tu as fini Il/elle/on a fini Nous avons fini Vous avez fini Ils/elles ont fini	Je finissais Tu finissais Il/elle/on finissait Nous finissions Vous finissiez Ils/elles finissaient	Je finirais Tu finirais Il/elle/on finirait Nous finirions Vous finiriez Ils/elles finiraient
Lire	Je lis Tu lis Il/elle/on lit Nous lisons Vous lisez Ils/elles lisent	Je lirai Tu liras Il/elle/on lira Nous lirons Vous lirez Ils/elles liront	J'ai lu Tu as lu Il/elle/on a lu Nous avons lu Vous avez lu Ils/elles ont lu	Je lisais Tu lisais Il/elle/on lisait Nous lisions Vous lisiez Ils/elles lisaient	Je lirais Tu lirais Il/elle/on lirait Nous lirions Vous liriez Ils/elles liraient
Sortir	Je sors Tu sors Il/elle/on sort Nous sortons Vous sortez Ils/elles sortent	Je sortirai Tu sortiras Il/elle/on sortira Nous sortirons Vous sortirez Ils/elles sortiront	Je suis sorti(e) Tu es sorti(e) Il/elle/on est sorti(e) Nous sommes sorti(e)s Vous êtes sorti(e)(s) Ils/elles sont sorti(e)s	Je sortais Tu sortais Il/elle/on sortait Nous sortions Vous sortiez Ils/elles sortaient	Je sortirais Tu sortirais Il/elle/on sortirait Nous sortirions Vous sortiriez Ils/elles sortiraient
Venir	Je viens Tu viens Il/elle/on vient Nous venons Vous venez Ils/elles viennent	Je viendrai Tu viendras Il/elle/on viendra Nous viendrons Vous viendrez Ils/elles viendront	Je suis venu(e) Tu es venu(e) Il/elle/on est venu(e) Nous sommes venu(e)s Vous êtes venu(e)(s) Ils/elles sont venu(e)s	Je venais Tu venais Il/elle/on venait Nous venions Vous veniez Ils/elles venaient	Je viendrais Tu viendrais Il/elle/on viendrait Nous viendrions Vous viendriez Ils/elles viendraient

Tableau de conjugaison

Verbes irréguliers les plus fréquents

	Présent	Futur simple	Passé composé	Imparfait	Conditionnel présent
Avoir	J'ai Tu as Il/elle/on a Nous avons Vous avez Ils/elles ont	J'aurai Tu auras Il/elle/on aura Nous aurons Vous aurez Ils/elles auront	J'ai eu Tu as eu Il/elle/on a eu Nous avons eu Vous avez eu Ils/elles ont eu	J'avais Tu avais Il/elle/on avait Nous avions Vous aviez Ils/elles avaient	J'aurais Tu aurais Il/elle/on aurait Nous aurions Vous auriez Ils/elles auraient
Être	Je suis Tu es Il/elle/on est Nous sommes Vous êtes Ils/elles sont	Je serai Tu seras Il/elle/on sera Nous serons Vous serez Ils/elles seront	J'ai été Tu as été Il/elle/on a été Nous avons été Vous avez été Ils/elles ont été	J'étais Tu étais Il/elle/on était Nous étions Vous étiez Ils/elles étaient	Je serais Tu serais Il/elle/on serait Nous serions Vous seriez Ils/elles seraient
Aller	Je vais Tu vas Il/elle/on va Nous allons Vous allez Ils/elles vont	J'irai Tu iras Il/elle/on Ira Nous irons Vous irez Ils/elles iront	Je suis allé(e) Tu est allé(e) Il/elle/on est allé(e) Nous sommes allé(é)s Vous êtes allé(e)s Ils/elles sont allé(e)s	J'allais Tu allais Il/elle/on allait Nous allions Vous alliez Ils/elles allaient	J'irais Tu irais Il/elle/on irait Nous irions Vous iriez Ils/elles iraient
Faire	Je fais Tu fais Il/elle/on fait Nous faisons Vous faites Ils/elles font	Je ferai Tu feras Il/elle/on fera Nous ferons Vous ferez Ils/elles feront	J'ai fait Tu as fait Il/elle/on a fait Nous avons fait Vous avez fait Ils/elles ont fait	Je faisais Tu faisais Il/elle/on faisait Nous faisions Vous faisiez Ils/elles faisaient	Je ferais Tu ferais Il/elle/on ferait Nous ferions Vous feriez Ils/elles feraient
Prendre	Je prends Tu prends Il/elle/on prend Nous prenons Vous prenez Ils/elles prennent	Je prendrai Tu prendras Il/elle/on prendra Nous prendrons Vous prendrez Ils/elles prendront	J'ai pris Tu as pris Il/elle/on a pris Nous avons pris Vous avez pris Ils/elles ont pris	Je prenais Tu prenais Il/elle/on prenait Nous prenions Vous preniez Ils/elles prenaient	Je prendrais Tu prendrais Il/elle/on prendrait Nous prendrions Vous prendriez Ils/elles prendraient
Connaître	Je connais Tu connais Il/elle/on connaît Nous connaissons Vous connaissez Ils/elles connaissent	Je connaîtrai Tu connaîtras Il/elle/on connaîtra Nous connaîtrons Vous connaîtrez Ils/elles connaîtront	J'ai connu Tu as connu Il/elle/on a connu Nous avons connu Vous avez connu Ils/elles ont connu	Je connaissais Tu connaissais Il/elle/on connaissait Nous connaissions Vous connaissiez Ils/elles connaissaient	Je connaîtrais Tu connaîtrais Il/elle/on connaîtrait Nous connaîtrons Vous connaîtrez Ils/elles connaîtront

Verbes pronominaux

	Présent	Futur simple	Passé composé	Imparfait	Conditionnel présent
S'appeler	Je m'appelle Tu t'appelles Il/elle/on s'appelle Nous nous appelons Vous vous appelez Ils/elles s'appellent	Je m'appellerai Tu t'appelleras Il/elle/on s'appellera Nous nous appellerons Vous vous appellerez Ils/elles s'appelleront	Je me suis appelé(e) Tu t'es appelé(e) Il/elle/on s'est appelé(e) Nous nous sommes appelé(e)s Vous vous êtes appelé(e)(s) Ils/elles se sont appelé(e)s	Je m'appelais Tu t'appelais Il/elle/on s'appelait Nous nous appelions Vous vous appeliez Ils/elles s'appelaient	Je m'appellerais Tu t'appellerais Il/elle/on s'appellerait Nous nous appellerions Vous vous appelleriez Ils/elles s'appelleraient
S'habiller	Je m'habille Tu t'habilles Il/elle/on s'habille Nous nous habillons Vous vous habillez Ils/elles s'habillent	Je m'habillerai Tu t'habilleras Il/elle/on s'habillera Nous nous habillerons Vous vous habillerez Ils/elles s'habilleront	Je me suis habillé(e) Tu t'es habillé(e) Il/elle/on s'est habillé(e) Nous nous sommes habillé(e)s Vous vous êtes habillé(e)(s) Ils/elles se sont habillé(e)s	Je m'habillais Tu t'habillais Il/elle/on s'habillait Nous nous habillions Vous vous habilliez Ils/elles s'habillaient	Je m'habillerais Tu t'habillerais Il/elle/on s'habillerait Nous nous habillerions Vous vous habilleriez Ils/elles s'habilleraient

Annexes

Actes
de communication

Actes de communication

Unité 0

Saluer

Bonjour !
Salut !
Comment vas-tu ?
Comment ça va ?
Comment allez-vous ?
Je vais bien.
Ça va.

Se présenter

Je m'appelle Coralie MARTIN.
Mon prénom est Coralie et mon nom est MARTIN.
Je suis française.
J'ai 17 ans.
Je suis née le 8 avril 1995.

Prendre congé

Au revoir !
À bientôt !
Salut !
À plus !
À tout à l'heure !
À la semaine prochaine !

Unité 1

Faire une description physique

Mon père est grand, gros et musclé. Il a les cheveux noirs.
Ma mère est petite et maigre. Elle a les yeux verts. Elle est blonde.
Ma meilleure amie est très belle. Elle est grande et mince. Elle a de longs cheveux noirs et des yeux bleus.

Décrire le caractère de quelqu'un

Mes amis sont géniaux ! Ils sont très sympas et très drôles.
Le prof de français est très strict et très sévère.
Ma voisine de classe est ennuyeuse.

Parler d'une personne et de ses centres d'intérêt

Mon meilleur ami joue de la guitare. Il adore la musique.
Je suis très sportive. Je joue au football et au basket.
J'adore aller au cinéma et faire du shopping.
Je préfère rester chez moi, aller sur Internet ou regarder la télé.

Demander des informations à une personne sur ses loisirs

Qu'est-ce que tu aimes faire ?
Quelles sont tes activités préférées ?
Quelle est ta passion ?
Quels sports fais-tu ?

Unité 2

Décrire un lieu, dire où se trouvent les commerces

Tu vas à la boulangerie ? Elle est à côté de la pharmacie.
Tu vas chez le boucher ? La boucherie est en face du restaurant « Les belles années ».
Il y a une auto-école près du centre commercial.
Sur la gauche, il y a une belle librairie-papeterie.
La poissonnerie des Halles se trouve dans la rue Bretonneau, à gauche du boulevard Saint-Avertin.

Décrire son quartier, dire ce qu'on fait et où on sort avec ses amis

J'adore mon quartier !
Cette place est magnifique !
Près de la rue des Lilas, il y a un café avec une terrasse.
L'ambiance est vraiment sympa, on s'amuse bien !
On va boire un café ? On va boire un verre ?
J'aimerais bien aller voir un concert.
Le musée se trouve dans un quartier très animé.

Cette exposition est très intéressante.
On peut se promener dans le grand jardin public, si tu veux ?
On va aux Puces ? On prend le Vélib' si tu veux ?
Ce château est impressionnant ! Il est énorme !

Parler des moyens de transports

Pour se déplacer dans ma ville, on peut prendre le bus ou le tramway.
Pour aller au lycée, je prends mon scooter.
À Toulouse, il y a un métro mais je préfère me déplacer en bus ou à pied.

Parler de sa maison

Mon ordinateur est sur mon bureau dans ma chambre.
Nous avons un nouveau canapé dans notre salon.
Mes parents ont acheté un tapis rouge pour aller avec la table du salon.
Les pièces de la maison sont claires.
La salle de bains est un peu sombre.
La cuisine est assez grande.
Au bout du couloir, il y a ma chambre.

Unité 3

Inviter quelqu'un à faire quelque chose

Je t'invite à un concert, au cinéma...
Ça te dit de venir au cinéma ?
Est-ce que tu viens au cinéma avec moi ?
Et si on allait au cinéma tous les deux ?
On va au cinéma. C'est moi qui invite.

Accepter une invitation

C'est une très bonne idée.
Excellente idée.
Avec (grand) plaisir.
J'accepte avec plaisir.
J'accepte ton invitation avec plaisir.
C'est ok !

Refuser une invitation

C'est gentil de m'inviter mais...
Je ne peux pas.
Je suis désolé(e), j'ai déjà quelque chose de prévu.
Je suis désolé(e), je ne peux pas venir.
Impossible ! J'ai autre chose à faire.
Je suis occupé(e), désolé(e).
Ce n'est pas possible.

Téléphoner à quelqu'un

Allô ? J'écoute.
Bonjour, je souhaiterais parler à Julie s'il vous plaît.
Bonjour, je voudrais parler à Caroline s'il vous plaît.
Bonjour, Sébastien est là ?
Attendez un moment, je vous le/la passe.
Attends une seconde, je vais le/la chercher.
Veuillez patienter.
Excusez-moi, je crois que je me suis trompé(e) de numéro.
Je suis désolé(e). C'est une erreur. Il n'y a pas de Caroline à ce numéro.
Je crois que vous vous êtes trompé(e) de numéro.
Allez, au revoir. Je raccroche.

Indiquer un chemin

Alors pour venir/aller au musée c'est simple.
Tu prends la première rue à droite.
Ensuite, tu tournes à gauche.
Tu continues (toujours) tout droit.
Vas jusqu'à la boulangerie. Elle se trouve à côté du parc.
En face de la boulangerie, tu traverses la rue.
À l'angle de la rue Victor Hugo et de la rue Labat, il y a un magasin de disques.

Actes de communication

Unité 4

Faire une demande polie

Je voudrais acheter des chaussures, s'il vous plaît.
Je souhaiterais voir les robes en vitrine, s'il vous plaît.
Pourriez-vous me montrer les nouveaux bijoux ?

Exprimer un vœu, un souhait

J'aimerais beaucoup partir en vacances avec toi.
Je souhaiterais réussir mes examens.

Exprimer les comparaisons

Ce t-shirt est plus cher que l'autre.
Mon frère est moins grand que moi.
Paul a de meilleures notes que moi !
Julie est aussi belle que Clara.
J'ai autant de cours que toi.

Dire ce que l'on aime

J'aime le chocolat.
J'aime beaucoup les animaux.
J'adore la musique hip-hop.
Tes nouveaux amis me plaisent beaucoup !

Dire ce que l'on n'aime pas

Je n'aime pas beaucoup le poisson.
Je n'aime pas me lever tôt.
Je n'aime pas du tout réviser mes cours.
Je déteste la pluie.
Ce film ne me plaît pas du tout.

Désigner quelque chose

Passe-moi ce livre.
Donne-moi ça !
Je dois faire cet exercice.
Tu veux celui-ci ?
Je veux celle-là.

Unité 5

Décrire ses intérêts

Je ne fais aucun sport.
Je passe beaucoup de temps à jouer.
Ma vie, c'est les jeux et le lycée.
Je fais aussi très attention à ce je mange parce que je ne dois pas grossir.
La semaine prochaine, je vais être en vacances et je ne vais rien faire.
J'aime beaucoup les jeux vidéo.
Il aime le football, le ski, mais aussi écouter de la musique.
J'adore ce sport.
Je déteste le froid.
Je suis fan de l'équipe de France et, bien sûr, de l'équipe de Nouvelle-Zélande, les *All Blacks*.

Donner et recevoir des conseils

Il faut manger sainement.
Ne choisis pas de céréales avec trop de sucre.
Ne prends pas les trois.
Préfère le ketchup à la mayonnaise.
Il est conseillé d'accompagner sa pizza d'une salade verte.
Il est nécessaire de manger équilibré.
Rester toute la journée devant la télé ou l'ordinateur, ce n'est pas bon pour la santé.
Pourquoi ne pas aller à la piscine ?
Si on mange trop, on apporte trop d'énergie à son corps.

Exprimer ses opinions

Il a l'air sympa.
J'imagine que tu ne veux pas faire de patin à glace
Je préfère le ski de fond.
Le ski de fond, je ne veux pas en entendre parler.

Décrire comment on se sent

Je suis super content.
Je suis plein d'énergie.
Je suis en pleine forme.
Le ski, quelle horreur !

J'aime aller vite, sauter, slalomer.
Oui, mais la vitesse me fait un peu peur.
Ça me motive beaucoup et ça me permet de faire un sport très complet.

Unité 6

Parler de ses projets de vacances

Je voudrais faire un voyage en Espagne.
L'été prochain, tu feras une excursion en Sicile.
Il souhaiterait aller en France.
Nous aimerions visiter un pays étranger.
Vous allez dans une ville ou dans un village ?
Cet été, nous allons vivre dans un camping.
Ils ont loué une chambre dans un petit hôtel.

Faire une réservation

Je vais acheter des billets pour mon voyage en France.
Est-ce que tu peux réserver les billets de train ?
Est-ce que vous pouvez faire une réservation ?
Je voudrais faire une réservation.
Je veux réserver un aller-retour Paris-Marseille s'il vous plaît.
Je voudrais connaître les horaires pour aller à Nice.
Combien coûte un billet Lille-Paris ?
Tu veux réserver un billet de train ?
Vous pouvez acheter un billet simple.
Il a réservé des billets en première.
Elle a choisi un billet en seconde classe car c'est moins cher.
Est-ce que cela vous convient ?

Décrire le lieu où l'on passe ses vacances

Je vais dans le sud de la France, à côté de Marseille.
Tu vas dans un centre au bord de la mer.
Elle va passer ses vacances à la campagne.
Nous allons découvrir une nouvelle région dans laquelle il y a beaucoup de lacs et de forêts.
Notre hôtel se trouve face à la mer.
Mes amis habitent au sommet de la montagne.

Raconter ses vacances

Je pars en vacances du 1er au 15 juillet.
Nous partons à la mer cet été.
Ils vont à la montagne en février.
Je fais du sport pendant mes vacances.
Tu pars chez ta sœur au Mexique.
Vous allez à l'hôtel pendant vos congés.
Je vais habiter chez une famille d'accueil en Angleterre.

Parler de ses loisirs

Cet été, je vais aller nager et bronzer tous les jours !
Tu pourras faire la grasse matinée pendant les vacances.
N'oublie pas de prendre tes affaires pour la plage : un maillot de bain, une serviette, des lunettes de soleil et de la crème solaire.
Ils sortent en discothèque tous les soirs.
Elles partent à la montagne cet hiver, elles pourront faire du ski de piste, du ski de fond, de la luge et du patin à glace.
Pendant ses vacances, il aime faire du vélo.
Son activité préférée pendant les vacances : faire de la planche à voile !
Nous adorons la plongée. Pendant les vacances d'été, nous partons explorer des bateaux engloutis à côté de Marseille.
Je n'aime pas me baigner mais j'adore bouquiner sur la plage.

Interroger une personne sur ses vacances

Quand est-ce que tu pars en vacances ?
Où partez-vous en vacances ?
À quel moment pars-tu en vacances ?
Avec qui partez-vous à la mer ?
Qu'est-ce que tu vas faire pendant les vacances ?
Dans quel pays pars-tu en vacances ?
Tu vas dans le nord ou dans le sud ?
Est-ce que tu pars à la mer ou bien à la montagne ?
Combien de temps partez-vous ?

Compréhension orale

1 Écoutez cette interview faite dans la rue.

2 Répondez aux questions.

(a) Quel est le thème de l'enquête de Benjamin ?

    1. le bruit...

    2. les loisirs...   ... en ville

    3. le sport...

(b) La fille aime faire du shopping dans sa ville parce qu'il y a ...

    1. des magasins peu chers.

    2. un grand choix de magasins.

    3. peu de monde dans les magasins.

(c) Le garçon trouve que sa ville est

    1. calme.

    2. horrible.

    3. bruyante.

(d) Où le garçon aime-t-il jouer de la guitare ?

(e) Dans quel endroit le garçon dit qu'il peut passer une bonne soirée ?
(Deux réponses possibles, une seule attendue)

 Production orale

Monologue suivi (10 minutes de préparation – durée : 2 minutes environ)

(a) Que faites-vous le week-end ?

(b) Avec qui ?

(c) Quelles activités est-il possible de faire dans votre ville ?

Compréhension écrite

1 Vous recevez ce courriel de Julie :

							Nouveau message		

Envoyer Discussion Joindre Adresses Polices Couleurs Enr. brouillon   Navigateur de photos Afficher les modèles

À :

Cc :

Répondre à :

Objet : invitation !

De : julie1994@hotmail.fr   Signature : Aucune

Salut,

Je vais bientôt partir en voyage et j'organise une petite fête pour mon départ samedi prochain.
Je t'explique comment faire pour venir chez moi, c'est facile : quand tu sors de la gare,
tu vas à gauche, dans la rue de Bordeaux. Ensuite, tu vas arriver sur la place Jean-Jaurès.
Là, il y a tous les arrêts de bus. Tu prends le bus ligne 4, direction Saint-Avertin. Tu descends
à l'arrêt « le Corbusier » et tu vas sur ta droite. Tu marches environ 50 mètres et tu traverses
le petit jardin. Ma maison est en face, dans la rue des Marguerites au numéro 12, juste à côté
de la pharmacie.
J'espère que tu as bien compris, tu peux m'appeler au 06 31 07 54 22 si tu veux.
Bises. Julie.

2 Qu'avez-vous compris ?

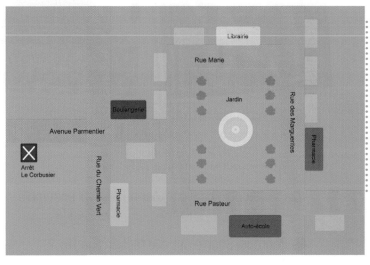

a Julie vous écrit pour vous inviter à
1. participer à une fête.
2. partir en voyage.
3. visiter sa ville.

b L'invitation est pour quel jour ?

c Où sont les arrêts de bus ?

d La maison de Julie est en face
1. d'un jardin.
2. d'une pharmacie.
3. de la rue des Marguerites.

e Vous êtes arrivé(e) à l'arrêt Le Corbusier.
Retrouvez votre trajet sur le plan pour aller jusqu'à la maison de Julie.

Production écrite

Vous allez accueillir dans quelques mois un(e) correspondant(e) français(e) dans votre pays.
Vous lui écrivez un courriel pour vous présenter, pour parler de vos loisirs, de votre maison
et de vos habitudes. (60 à 80 mots)

Compréhension orale

 1 **Écoutez le document, puis répondez aux questions.**

    a À quelle heure commence la soirée ?

    b Cette soirée présente :
        1. des danseurs de hip hop.   2. des chanteurs de trip hop.   3. des musiciens de DJ pop.

    c Comment s'appelle la salle de spectacle ?

    d De quelles nationalités sont les artistes ? Notez 2 nationalités que vous entendez.
        1. ....   2. ....

    e Le ticket d'entrée entre 21 h et 22 h pour les filles est de :
        1. 0 €   2. 15 €   3. 22 €

 2 **Écoutez le document, puis répondez aux questions.**

    a Où Gil veut-il inviter Sophie ?

    b Pourquoi Sophie refuse-t-elle l'invitation ?
        1. Elle n'aime pas les artistes proposés.
        2. Elle est déjà invitée à une autre fête.
        3. Elle ne peut pas sortir après 22 h.

    c Gil et Sophie peuvent aller au festival ensemble ...
        1. le lundi.   2. le samedi.   3. le dimanche.

    d Pourquoi Sophie est-elle fâchée à la fin ?

 Production orale

Monologue suivi (10 minutes de préparation - durée : 2 minutes environ)

Racontez la dernière fête que vous avez organisée.
    a Avec qui étiez-vous ?
    b Qu'avez-vous fait ?
    c Avez-vous passé une bonne soirée ?

Compréhension écrite

1 Lisez le document suivant.

Mode : la folie du *cosplay*

Bienvenue dans le monde des *cosplayers*, ces jeunes gens qui s'habillent en personnage de manga*, de film ou de jeux vidéo avec vêtements excentriques et cheveux colorés ! La mode du *cosplay* est née au Japon, mais aujourd'hui les *cosplayers* sont très nombreux aussi en France. La ville de Toulouse organise ce week-end un concours de *cosplay*. Pour participer, il faut avoir des idées car les *cosplayers* fabriquent eux-mêmes leur tenue. La personne avec la meilleure tenue gagne une console de jeux vidéo. Au Japon, un concours de *cosplay* ouvert à tous les pays est organisé chaque année. L'année dernière, c'est l'Italie qui a gagné. Le reste du temps les *cosplayers* japonais se retrouvent dans la rue pour montrer leurs nouveaux vêtements et se faire photographier.

* *manga : bande dessinée japonaise*

2 Répondez aux questions.

ⓐ Qui sont les *cosplayers* ?
1. des acteurs de film
2. des personnes qui se déguisent
3. des personnages de bandes dessinées

ⓑ Dans quel pays est née la mode du *cosplay* ?

ⓒ Que faut-il faire pour gagner au concours de *cosplay* à Toulouse ?
1. jouer à des jeux vidéo
2. avoir une tenue originale
3. dessiner des personnages de manga

ⓓ Que peut-on gagner au concours ?

ⓔ Qui peut participer au concours de *cosplay* organisé au Japon ?

ⓕ Que font les *cosplayers* japonais d'habitude ?

 ## Production écrite

1 Lisez ce message.

Objet :	Aide
De :	maxime.p@laposte.net

Signature : Aucune

Salut !
Mon frère se marie le week-end prochain. Je dois trouver une tenue pour le mariage.
Tu veux bien venir avec moi demain au centre commercial pour m'aider à choisir ? Merci ☺ @ +
Maxime

2 Répondez aux questions.

Vous répondez à Maxime. Vous ne pouvez pas venir. Vous lui expliquez pourquoi.
Vous lui donnez l'adresse de votre magasin préféré et des idées de vêtements.

Compréhension orale

1 Écoutez le document.

2 Complétez le tableau ci-dessous.
Dites si les phrases sont vraies,
fausses ou si on ne peut pas savoir.

		Vrai	Faux	On ne sait pas
a.	La fille téléphone pour modifier son billet de train.			
b.	Elle veut un aller-retour pour Londres.			
c.	Elle va quitter Paris le 3 et revenir le 7.			
d.	Elle va à Londres pour voir son ami.			
e.	Elle va voyager le matin à l'aller seulement.			
f.	Elle est étudiante.			
g.	Elle voyage en 1ère classe.			
h.	Le billet coûte 150 €.			
i.	Elle paye par chèque.			

Production orale

Exercice en interaction (10 minutes de préparation – durée : 2 minutes environ)

Choisissez un des deux sujets.

Sujet 1 : Le club de sport
Vous allez dans un club de sport pour vous inscrire.
Vous posez des questions au réceptionniste du club pour
avoir des informations sur :
- les horaires d'ouverture de la salle
- les sports proposés ;
- les activités et cours proposés ;
- les horaires des cours ;
- les prix ;
- les réductions pour les étudiants ;
- la durée de l'abonnement ;
- les services complémentaires.

• **L'examinateur joue le rôle du réceptionniste.**

Sujet 2 : Les vacances sportives
Votre meilleur(e) ami(e) vous propose de partir dans un camp
de vacances spécialisé en activités sportives. Vous posez des
questions à votre ami(e) sur :
- le lieu ;
- la durée du séjour et du voyage ;
- les dates ;
- le prix ;
- le type de logement ;
- les sports proposés ;
- les autres loisirs proposés.

• **L'examinateur joue le rôle de l'ami(e).**

Compréhension écrite

1 Lisez le document suivant.

Kévin Malatre veut sauter à skis, depuis le haut de la butte Montmartre, devant le Sacré-Cœur à Paris. Son objectif : sauter plus de 29 mètres. Un spectacle impressionnant à voir, sortez vos appareils photos !

Kévin, triple champion du monde junior de saut à ski a sauté du haut de la tour Eiffel avec ses skis aux pieds le 15 juin dernier. Depuis, on le voit beaucoup dans les émissions de télévision.

Le 12 janvier prochain, Kévin sautera à ski du haut de la butte Montmartre sur une piste recouverte de neige artificielle. Le jeune athlète volera par-dessus les toits de Paris. À 18 h 30, il s'envolera du haut de la butte, avant d'atterrir en toute sécurité 29 mètres plus bas. « Je vais atterrir à 75 km/h environ, ça va être génial », explique-t-il.

Le Français s'entraîne depuis 9 mois à l'Insep (Institut national du sport de l'expertise et de la performance), dans le bois de Vincennes.

Kévin Malatre va offrir au public un nouveau record du monde et aussi des émotions fortes.

Alors si vous aimez ça : rendez-vous samedi 12 janvier à 18 h 30 au Sacré-Cœur.

2 Répondez aux questions.

ⓐ Quel est le sport pratiqué par Kévin ?
1. le ski 2. le roller 3. le parachute

ⓑ Qu'est-ce que Kévin a réalisé en juin ?

ⓒ Que va faire Kévin en janvier ?
1. participer à une émission
2. essayer de battre un record
3. s'entraîner à l'Insep

ⓓ À quelle heure va débuter l'événement du 12 janvier ?

ⓔ Depuis combien de temps Kévin s'entraîne-t-il ?
1. 6 mois. 2. 9 mois. 3. 1 an.

ⓕ Pour aller voir cet événement, que devez-vous aimez ?

 ## Production écrite

Forum

Que pensez-vous des sports dangereux ?

Est-ce que vous pratiquez un sport dangereux ?
Ou préférez-vous avoir des sensations fortes,
tranquillement assis dans votre canapé,
en regardant les émissions sportives
à la télévision ? Donnez votre avis.
Utilisez-vous sur votre propre expérience.
Écrivez un texte détaillé et cohérent.
(160 à 180 mots)

Vous

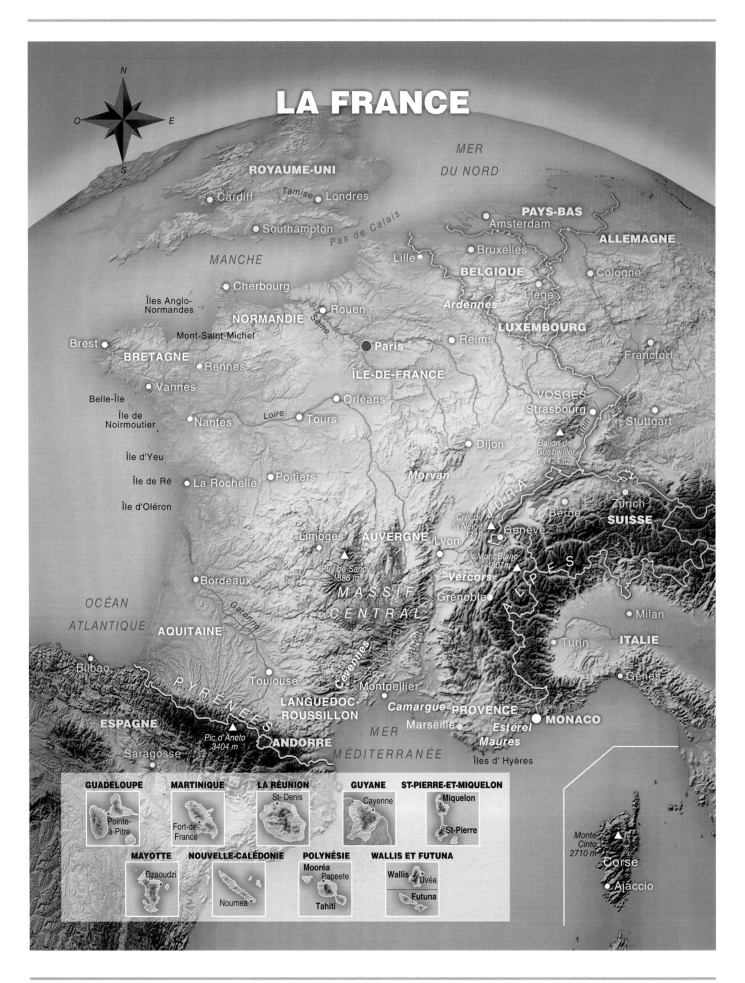

LA FRANCE

N
O   E
S

ROYAUME-UNI

MER DU NORD

Cardiff
Tamise • Londres

PAYS-BAS
Amsterdam

ALLEMAGNE

• Southampton

Pas de Calais

Lille •

Bruxelles •

Cologne •

MANCHE

BELGIQUE

Liège

• Cherbourg

Îles Anglo-Normandes

NORMANDIE

Ardennes

LUXEMBOURG

Brest •

Mont-Saint-Michel

• Rouen

Seine

Paris

• Reims

Francfort

BRETAGNE

• Rennes

ÎLE-DE-FRANCE

VOSGES

• Vannes

• Orléans

Strasbourg

Belle-Île

Loire

Rhin

Stuttgart

Île de Noirmoutier

• Nantes

• Tours

• Dijon

Ballon de Guebwiller 1424 m

Île d'Yeu

Morvan

JURA

Île de Ré

• Poitiers

Crêt de la Neige 1718

Berne •

Zurich

Île d'Oléron

• La Rochelle

Limoges •

AUVERGNE

• Lyon

Genève •

SUISSE

Puy de Sancy 1886 m

Mont Blanc 4807 m

OCÉAN

Vercors

ATLANTIQUE

• Bordeaux

Garonne

MASSIF

Grenoble •

A L P E S

Milan •

AQUITAINE

C E N T R A L

Rhône

Turin •

ITALIE

Bilbao •

Toulouse •

Cévennes

Montpellier •

Camargue

PROVENCE

Gênes •

P Y R É N É E S

LANGUEDOC-ROUSSILLON

Marseille •

MONACO

ESPAGNE

Pic d'Aneto 3404 m

ANDORRE

MER MÉDITERRANÉE

Estérel

Maures

Saragosse •

Îles d' Hyères

| GUADELOUPE | MARTINIQUE | LA RÉUNION | GUYANE | ST-PIERRE-ET-MIQUELON |

Pointe-à-Pitre

Fort-de-France

St-Denis

Cayenne

Miquelon
St-Pierre

Monte Cinto 2710 m

| MAYOTTE | NOUVELLE-CALÉDONIE | POLYNÉSIE | WALLIS ET FUTUNA |

Dzaoudzi

Nouméa

Mooréa
Papeete
Tahiti

Wallis
Uvéa
Futuna

Corse

Ajaccio •

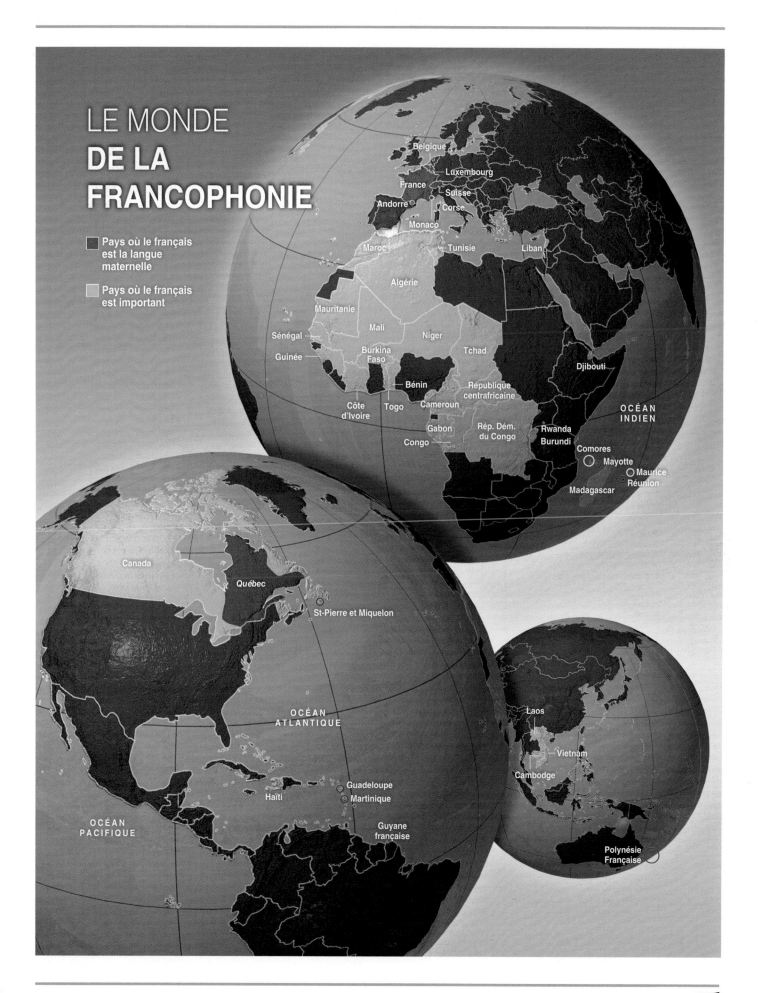

LE MONDE
DE LA
FRANCOPHONIE

- ▣ Pays où le français est la langue maternelle
- ▣ Pays où le français est important

Belgique
Luxembourg
France
Suisse
Andorre
Corse
Monaco
Maroc
Tunisie
Liban
Algérie
Mauritanie
Mali
Niger
Sénégal
Burkina
Faso
Tchad
Guinée
Djibouti
Bénin
République
centrafricaine
Côte
d'Ivoire
Togo
Cameroun
Gabon
Rép. Dém.
du Congo
Rwanda
Burundi
Congo
OCÉAN
INDIEN
Comores
Mayotte
Maurice
Réunion
Madagascar

Canada
Québec
St-Pierre et Miquelon
OCÉAN
ATLANTIQUE
Laos
Vietnam
Cambodge
Guadeloupe
Haïti
Martinique
OCÉAN
PACIFIQUE
Guyane
française
Polynésie
Française

Crédits Photographiques

7 ht g	Ph © Christopher Howey / FOTOLIA
7 ht d	© Erik Isakson/Tetra Images/Corbis
7 m d	Ph © arquiplay77 - Fotolia
7 m g	© Inmagine Asia/Corbis
7 bas g	© Raimund Koch/Corbis
7 bas d	ph © Ant Strack/Corbis
8 ht g	Ph © nickos - Fotolia
8 m hg	Ph © DomLortha - Fotolia
8 ht m	Ph © RFphoto - Fotolia
8 m d	Ph © FOTOLIA
8 ht d	Ph © jcm - Fotolia
8 m g	Ph © mikael lever - Fotolia
8 m g	Ph © Diego Barbieri - Fotolia
8 m m	Ph ©Yahia LOUKKAL - Fotolia
8 m d	Ph © Serghei Piletchi - Fotolia
8 m d	Ph © bofotolux - Fotolia
8 m bg	Ph © VILLARD/SIPA
8 m m	Ph ©A. William / SIPA PRESS
8 m bd	Ph © ALBERTO ESTEVEZ/EFE/SIPA
8 bas g	Ph © LYDIE/SIPA
8 bas m	Ph ©Rue des Archives/AGIP
8 bas d	Ph © MATHIAS LAMAMY/UNIMEDIA/SIPA
9 ht g	Ph © NIVIERE/SIPA
9 ht d	Ph © LYDIE/SIPA
9 m	© DECATHLON
9 m g	© Carrefour
9 m d	© EDF
9 m d	© Evian/Danone
9 bas g	© RATP
9 bas m	© CITROEN
9 bas d	© AIR France
11	Ph © lithian - Fotolia
12	Ph © Jens Nieth/Corbis
13	Ph © FOTOLIA
17 ht et p 28-29 :	Ph © auremar - Fotolia
17 m	Ph © Andres Rodriguez - Fotolia
17 bas et p 25 m :	Ph © Pavel Sazonov - Fotolia
18	Ph © Tsian - Fotolia
19 ht	Ph © Andres Rodriguez - Fotolia
19 ht g	© FOTOLIA
19 m hg	© FOTOLIA
19 m bg	© FOTOLIA
19 bas g	© FOTOLIA
19	1. Ph © Samuel Borges - Fotolia
19	2. Ph © Yuri Arcurs - Fotolia
19	3. Ph © Radius Images/Corbis
19	4. Ph © Getty Images/age fotostock RM
20 g	a. Ph © Vladimir Wrangel - Fotolia
20 m g	b. Ph © Samuel Borges - Fotolia
20 m d	c. Ph © Donald Joski - Fotolia
20 d	d. Ph © Martinan - Fotolia
24 ht g	A. Ph © micromonkey - Fotolia
24 ht g	B. Ph © Alexander Yakovlev - Fotolia
24 ht d	C Ph © Andrey Kiselev - Fotolia
24 ht d	D. Ph © WavebreakMediaMicro - Fotolia
24 m hg	1. Ph © djemphoto - Fotolia
24 m m	2. Ph © Gjermund Alsos - Fotolia
24 m hd	3. Ph © creativedoxfoto - Fotolia
24 bas g	4. Ph © Albachiaraa - Fotolia
24 bas d	5. Ph © pizuttipics - Fotolia
25 ht	Ph © Paty Wingrove - Fotolia
25 m	Micro : source
25 bas	Ph © Gareth Brown/Corbis
26 g	Conception : Amélie Dupont - Ville de Noisy-le-Grand
26 d	Ph © PETIT THOMAS/SIPA
27 ht	Ph © REVELLI-BEAUMONT/SIPA
27 m	© FOTOLIA
27 ht	Ph © Chlorophylle - Fotolia
30	Ph © goodluz - Fotolia
31 ht	Ph. Edyta Pawlowska / FOTOLIA

31 m	Ph. Deklofenak / FOTOLIA
31 bas	Ph. Ariwasabi / FOTOLIA
32 ht g	Ph. Photobank.ch / SHUTTERSTOCK
32 m hg	Ph. © Frank Guiziou / HEMIS
32 ht d	BIS / Ph. Olivier Ploton © Archives Larbor
32 m g	Ph © Camille Moirenc / HEMIS
32 m d	Ph. © Pascal SITTLER / REA
32 m bg	Ph. © Gilles ROLLE/ «6OM»/ REA
32 bas d	Ph. Spargel / FOTOLIA
33 ht g	et p34 bas d Ph. © CITADIUM
33 m ht	Ph. © Aija Lehtonen / Shutterstock
33 ht d	BIS / Ph.Taylor Jackson
33 bas g	Ph. Padmayogini / SHUTTERSTOCK
33 m bas	Ph. © Freddy Smeets / FOTOLIA
33 bas d	Ph. © Le Grand REX
34 g	Ph. © Rosine Mazin / EPICUREANS
34 m g	Ph. © Hard Rock Cafe Paris
34 m d	Ph. © Manga Cafe / DR
38 ht g	Ph. © Light Impression / FOTOLIA
38 ht d	Ph. © Rido / FOTOLIA
38 bas g	Ph. © Annandkrish/ FOTOLIA
38 m bas	Ph. © Beboy/ FOTOLIA
38 bas d	«Millenium» de Niels Arden Oplev © Yellow Bird Films, ZDF Enterprises, S veriges Television (SVT / DR)
39 g	Ph. M.Castro / URBA IMAGES
39 m	Ph. © GUILLAUME / REA
39 d	© Pascal SITTLER / REA
40 ht d	Ph. ©Jean Pierre JANS / REA
40 ht g	Ph. Haveseen / FOTOLIA
40 m hd	Ph.Lunamarina / FOTOLIA
40 bas g	Ph.Vanessa Martineau / FOTOLIA
40 m bg	Ph. Okea / FOTOLIAdas
40 bas d	Ph. Zolomos / FOTOLIA
40 bas d	Ph. Andreaxt / FOTOLIA
40 bas d	Ph. Micromonkey / FOTOLIA
40 bas d	Ph. Dalaprod / FOTOLIA
41 ht	Ph .Paylessimages / FOTOLIA
41 bas	Ph.Christophe Schmid / FOTOLIA
42 g	Ph.Xtravagan T / FOTOLIA
42 d	BIS / Ph.Julien Bastide
43	Ph. Anadel / FOTOLIA
45 ht	Ph © Aldo Murillo/ISTOCK
45 m	Ph © pressmaster / FOTOLIA
45 ht	Ph © Moreno Novello - Fotolia
46	Ph © Monkey Business - Fotolia
47	Ph © Uygar Ozel/istock
48 ht	Ph © Francois PERRI/REA
48 bas	Ph © Fabien R.C. - Fotolia
52 g	Ph © Eléonore H - Fotolia
52 d	Ph © CHAMUSSY-TV/LEROUX-TV/ TLMC2011/S
53	Ph © SEBASTIEN ORTOLA/REA
54 ht	Ph © olly - Fotolia
54 m	Ph © Ariwasabi - Fotolia
54 bas	Ph © amg112 - Fotolia
56 ht	Ph © Eric CHAUVET/CIT' en scene
56 bas g	© Ramon de la Rocha/epa/Corbis
56 bas d	© Festival des Eurockéennes/Ephélide
57 ht g	Ph © Alessandra Benedetti/Corbis
57 ht d	Ph © NICHOLAS RATZENBOECK/AFP
57 ht	Ph © Patrick Ward/CORBIS
59 ht	Ph. Dmitrijs Dmitrijevs / FOTOLIA
59 m	Ph. Andres Rodriguez / FOTOLIA
59 bas	Ph.NinaMalyna / FOTOLIA
60	Ph. Kadmy / FOTOLIA
61 ht g	Ph.Anton Gvozdikov / FOTOLIA
61 m ht	Ph.Elisanth / FOTOLIA
61 ht d	Ph.Alexey Klementiev / FOTOLIA
61 bas g	Ph. Mariesacha / FOTOLIA
61 bas m	Ph. Unclesam / FOTOLIA

61 bas d	Ph.Nietengürtel / FOTOLIA
62 bas	a,b,d Ph T.-Fotodesign, Nyul, Sergejs Rahunoks / FOTOLIA. d Ph. Apollofoto / SHUTTERSTOCK
62 ht	bottes Ph. Africa Studio ; jupe Coprid ; veste Elnur ; soquettes Nito ; ceinture Nikolai Sorokin ; sac Andrey Bandurenko/ FOTOLIA. Chemise Roleifletlr ; gilet Kayros Studio «Be happy» / SHUTTERSTOCK
65	de g. à d Pixel & Création, Vanessa Martineau, Bourgois Jerôme, Lionel Valenti / FOTOLIA
66	Ph. Mike Cherim / iStock
68	Ph. © Gilles Lougassi / FOTOLIA
69 de g. à d	Ph.Neale Cousland, K2 images, Gordana Semek, K2 images / SHUTTERSTOCK
70 g	Ph. © VIRGIN RADIO
70 d	Ph.© AIR France
71	Ph. © Autour de Minuit Productions / DR / Coll. Prod DB
73 ht	Ph © Andres Rodriguez - Fotolia
73 m	Ph © Monkey Business - Fotolia
73 bas	Ph © Alena Ozerova - Fotolia
74	Ph © samott - Fotolia
75	Ph © CORBIS
80 g	Ph © Sergey Sukhorukov - Fotolia
80 m	Ph © Alija/ISTOCK
80 ht d	Ph © moodboard - Fotolia
80 bas d	Ph © emanelda - Fotolia
81	Ph © Elenathewise - Fotolia
82 g	Ph © Kai Chiang/Golden Pixels LLC/Corbis
82 m	Ph © ennis Oblander - Fotolia
82 d	Ph © .shock - Fotolia
83 g	Ph © an MacLellan - Fotolia
83 d	Ph © Edyta Pawlowska - Fotolia
84	Ph © CIAMBELLI MATTEO/SIPA
85 ht	Ph © FAUGERE/DPPI-SIPA
85 ht	Ph © CHINE NOUVELLE/SIPA
87 ht	Ph. Light Impression / FOTOLIA
87 m	Ph. Sergejs Rahunoks / FOTOLIA
87 bas	Ph. © Gilles ROLLE / REA
88 ht g	Ph. Nico / FOTOLIA
88 ht d	Ph. © Idtgv
88 bas g	Ph. © Berthold Steinhilber / Laif / REA
88 bas m	Ph. © Philippe Grollier / SNCF Médiathèque
88 bas d	Ph. © GL / REA
89	Ph. Rido / FOTOLIA
89 m	Ph. Ksenia Kuznetsova / FOTOLIA
89 ht d	Ph. Alexey Fursov / FOTOLIA
95 ht	Ph. Blue planet / FOTOLIA
95 bas g	Ph. Julijah / FOTOLIA
95 bas d	Ph.Cedric / FOTOLIA
96 ht g	Ph.Samuel Borges / FOTOLIA
96 ht d	Ph. Mikhail Zahranichny / FOTOLIA
97 g	Ph. © Sergei Karpukhin / Reuters
97 d	Ph. © Andrzej Gorzkowski / ALAMY / PHOTO12
98 d et htg	Ph. © Editions de la Martinière
98 g et htm	Ph.© AFP
98 m et htd	Ph. © Sergei Karpukhin / Reuters
99	Eric TRAVERS / GAMMA RAPHO
122 g	Ph. Baytch / FOTOLIA
122 m	Ph. Anton Gvozdikov / SHUTTERSTOCK
122 d	Ph. © Nicolas TAVERNIER / REA
123 ht	Ph. © Gavin Hellier /AWL Images Ltd / CORBIS
123 bas g	Ph. © DR
123 m	Ph. Alexander Dashewsky / SHUTTERSTOCK
123 bas d	Ph.Can Balcioglu / SHUTTERSTOCK
124 ht	Ph.© Corbis. All Rights Reserved.
124 bas	Ph. Vigorin / FOTOLIA
125 g	Ph. Kovalenko Innab/ FOTOLIA
125 d	Ph. Justinb / FOTOLIA

N° de éditeur : 10176648 - Dépôt légal : avril 2012
Achevé d'imprimer en Italie par Bona